DU MÊME AUTEUR

Aux Éditions Gallimard

DANS LE JARDIN DE L'OGRE, roman, 2014 (« Folio » n° 6062).

CHANSON DOUCE

LEÏLA SLIMANI

CHANSON DOUCE

roman

nrf

GALLIMARD

À Émile.

Mademoiselle Vezzis était venue de par-delà la Frontière pour prendre soin de quelques enfants chez une dame [...]. La dame déclara que mademoiselle Vezzis ne valait rien, qu'elle n'était pas propre et qu'elle ne montrait pas de zèle. Pas une fois il ne lui vint à l'idée que mademoiselle Vezzis avait à vivre sa propre vie, à se tourmenter de ses propres affaires, et que ces affaires étaient ce qu'il y avait au monde de plus important pour mademoiselle Vezzis.

Rudyard KIPLING,
Simples contes des collines

« Comprenez-vous, Monsieur, comprenez-vous ce que cela signifie quand on n'a plus où aller ? » La question que Marmeladov lui avait posée la veille lui revint tout à coup à l'esprit. « Car il faut que tout homme puisse aller quelque part. »

DOSTOÏEVSKI,
Crime et châtiment

Le bébé est mort. Il a suffi de quelques secondes. Le médecin a assuré qu'il n'avait pas souffert. On l'a couché dans une housse grise et on a fait glisser la fermeture éclair sur le corps désarticulé qui flottait au milieu des jouets. La petite, elle, était encore vivante quand les secours sont arrivés. Elle s'est battue comme un fauve. On a retrouvé des traces de lutte, des morceaux de peau sous ses ongles mous. Dans l'ambulance qui la transportait à l'hôpital, elle était agitée, secouée de convulsions. Les yeux exorbités, elle semblait chercher de l'air. Sa gorge s'était emplie de sang. Ses poumons étaient perforés et sa tête avait violemment heurté la commode bleue.

On a photographié la scène de crime. La police a relevé des empreintes et mesuré la superficie de la salle de bains et de la chambre d'enfants. Au sol, le tapis de princesse était imbibé de sang. La table à langer était à moitié renversée. Les jouets ont été emportés dans des sacs transparents et mis sous scellés. Même la commode bleue servira au procès.

La mère était en état de choc. C'est ce qu'ont dit les pompiers, ce qu'ont répété les policiers, ce qu'ont écrit les journalistes. En entrant dans la chambre où gisaient ses enfants, elle a poussé un cri, un cri des profondeurs, un hurlement de louve. Les murs en ont tremblé. La nuit s'est abattue sur cette journée de mai. Elle a vomi et la police l'a découverte ainsi, ses vêtements souillés, accroupie dans la chambre, hoquetant comme une forcenée. Elle a hurlé à s'en déchirer les poumons. L'ambulancier a fait un signe discret de la tête, ils l'ont relevée, malgré sa résistance, ses coups de pied. Ils l'ont soulevée lentement et la jeune interne du SAMU lui a administré un calmant. C'était son premier mois de stage.

L'autre aussi, il a fallu la sauver. Avec autant de professionnalisme, avec objectivité. Elle n'a pas su mourir. La mort, elle n'a su que la donner. Elle s'est sectionné les deux poignets et s'est planté le couteau dans la gorge. Elle a perdu connaissance, au pied du lit à barreaux. Ils l'ont redressée, ils ont pris son pouls et sa tension. Ils l'ont installée sur le brancard et la jeune stagiaire a tenu sa main appuyée sur son cou.

Les voisins se sont réunis en bas de l'immeuble. Il y a surtout des femmes. C'est bientôt l'heure d'aller chercher les enfants à l'école. Elles regardent l'ambulance, les yeux gonflés de larmes. Elles pleurent et elles veulent savoir. Elles se mettent sur la pointe des pieds. Essaient de distinguer ce qui se passe derrière le cordon de police, à l'intérieur de l'ambulance qui démarre toutes sirènes hurlantes. Elles se murmurent des informations à l'oreille. Déjà, la rumeur court. Il est arrivé malheur aux enfants.

C'est un bel immeuble de la rue d'Hauteville, dans

le dixième arrondissement. Un immeuble où les voisins s'adressent, sans se connaître, des bonjours chaleureux. L'appartement des Massé se trouve au cinquième étage. C'est le plus petit appartement de la résidence. Paul et Myriam ont fait monter une cloison au milieu du salon à la naissance de leur second enfant. Ils dorment dans une pièce exiguë, entre la cuisine et la fenêtre qui donne sur la rue. Myriam aime les meubles chinés et les tapis berbères. Au mur, elle a accroché des estampes japonaises.

Aujourd'hui, elle est rentrée plus tôt. Elle a écourté une réunion et reporté à demain l'étude d'un dossier. Assise sur le strapontin, dans la rame de la ligne 7, elle se disait qu'elle ferait une surprise aux enfants. En arrivant, elle s'est arrêtée à la boulangerie. Elle a acheté une baguette, un dessert pour les petits et un cake à l'orange pour la nounou. C'est son favori.

Elle pensait les emmener au manège. Ils iraient ensemble faire les courses pour le dîner. Mila réclamerait un jouet, Adam sucerait un quignon de pain dans sa poussette.

Adam est mort. Mila va succomber.

« Pas de sans-papiers, on est d'accord ? Pour la femme de ménage ou le peintre, ça ne me dérange pas. Il faut bien que ces gens travaillent, mais pour garder les petits, c'est trop dangereux. Je ne veux pas de quelqu'un qui aurait peur d'appeler la police ou d'aller à l'hôpital en cas de problème. Pour le reste, pas trop vieille, pas voilée et pas fumeuse. L'important, c'est qu'elle soit vive et disponible. Qu'elle bosse pour qu'on puisse bosser. » Paul a tout préparé. Il a établi une liste de questions et prévu trente minutes par entretien. Ils ont bloqué leur samedi après-midi pour trouver une nounou à leurs enfants.

Quelques jours auparavant, alors que Myriam discutait de ses recherches avec son amie Emma, celle-ci s'est plainte de la femme qui gardait ses garçons. « La nounou a deux fils ici, du coup elle ne peut jamais rester plus tard ou faire des baby-sittings. Ce n'est vraiment pas pratique. Penses-y quand tu feras tes entretiens. Si elle a des enfants, il vaut mieux qu'ils soient au pays. » Myriam avait remercié pour le conseil. Mais, en réalité, le discours d'Emma l'avait gênée. Si un employeur avait parlé d'elle ou d'une autre de leurs amies de cette manière, elles auraient hurlé à la discrimination. Elle trouvait terrible l'idée d'évincer une femme parce qu'elle a des enfants. Elle préfère ne pas soulever le sujet avec Paul. Son mari est comme Emma. Un pragmatique, qui place sa famille et sa carrière avant tout.

Ce matin, ils ont fait le marché en famille, tous les quatre. Mila sur les épaules de Paul, et Adam endormi dans sa poussette. Ils ont acheté des fleurs et maintenant ils rangent l'appartement. Ils ont envie de faire bonne figure devant les nounous qui vont défiler. Ils rassemblent les livres et les magazines qui traînent sur le sol, sous leur lit et jusque dans la salle de bains. Paul demande à Mila de ranger ses jouets dans de grands bacs en plastique. La petite fille refuse en pleurnichant, et c'est lui qui finit par les empiler contre le mur. Ils plient les vêtements des petits, changent les draps des lits. Ils nettoient, jettent, cherchent désespérément à aérer cet appartement où ils étouffent. Ils voudraient qu'elles voient qu'ils sont des gens bien, des gens sérieux et ordonnés qui tentent d'offrir à leurs enfants ce qu'il y a de meilleur. Qu'elles comprennent qu'ils sont les patrons.

Mila et Adam font la sieste. Myriam et Paul sont assis au bord de leur lit. Anxieux et gênés. Ils n'ont jamais confié leurs enfants à personne. Myriam finissait ses études de droit quand elle est tombée enceinte de Mila. Elle a obtenu son diplôme deux semaines avant son accouchement. Paul multipliait les stages, plein de cet optimisme qui a séduit Myriam quand elle l'a rencontré. Il était sûr de pouvoir travailler pour deux. Certain de faire carrière dans la production musicale, malgré la crise et les restrictions de budget.

Mila était un bébé fragile, irritable, qui pleurait sans cesse. Elle ne grossissait pas, refusait le sein de sa mère et les biberons que son père préparait. Penchée au-dessus du berceau, Myriam en avait oublié jusqu'à l'existence du monde extérieur. Ses ambitions se limitaient à faire prendre quelques grammes à cette fillette chétive et criarde. Les mois passaient sans qu'elle s'en rende compte. Paul et elle ne se séparaient jamais de Mila. Ils faisaient semblant de ne pas voir que leurs amis s'en agaçaient et disaient derrière leur dos qu'un bébé n'a pas sa place dans un bar ou sur la banquette d'un restaurant. Mais Myriam refusait absolument d'entendre parler d'une baby-sitter. Elle seule était capable de répondre aux besoins de sa fille.

Mila avait à peine un an et demi quand Myriam est tombée à nouveau enceinte. Elle a toujours prétendu que c'était un accident. « La pilule, ce n'est jamais du cent pour cent », disait-elle en riant devant ses amies. En réalité, elle avait prémédité cette grossesse. Adam a été une excuse pour ne pas quitter la douceur du foyer. Paul n'a émis aucune réserve. Il venait d'être engagé comme assistant son dans un studio renommé où il passait ses journées et ses nuits, otage des caprices des artistes et de leurs emplois du temps. Sa femme paraissait s'épanouir dans cette maternité animale. Cette vie de cocon, loin du monde et des autres, les protégeait de tout.

Et puis le temps a commencé à paraître long, la

parfaite mécanique familiale s'est enrayée. Les parents de Paul, qui avaient pris l'habitude de les aider à la naissance de la petite, ont passé de plus en plus de temps dans leur maison de campagne, où ils avaient entrepris d'importants travaux. Un mois avant l'accouchement de Myriam, ils ont organisé un voyage de trois semaines en Asie et n'ont prévenu Paul qu'au dernier moment. Il s'en est offusqué, se plaignant à Myriam de l'égoïsme de ses parents, de leur légèreté. Mais Myriam était soulagée. Elle ne supportait pas d'avoir Sylvie dans les pattes. Elle écoutait en souriant les conseils de sa belle-mère, ravalait sa salive quand elle la voyait fouiller dans le frigidaire et critiquer les aliments qui s'y trouvaient. Sylvie achetait des salades issues de l'agriculture biologique. Elle préparait le repas de Mila mais laissait la cuisine dans un désordre immonde. Myriam et elle n'étaient jamais d'accord sur rien, et il régnait dans l'appartement un malaise compact, bouillonnant, qui menaçait à chaque seconde de virer au pugilat. « Laisse tes parents vivre. Ils ont raison d'en profiter maintenant qu'ils sont libres », avait fini par dire Myriam à Paul.

Elle ne mesurait pas l'ampleur de ce qui s'annonçait. Avec deux enfants tout est devenu plus compliqué : faire les courses, donner le bain, aller chez le médecin, faire le ménage. Les factures se sont accumulées. Myriam s'est assombrie. Elle s'est mise à détester les sorties au parc. Les journées d'hiver lui ont paru interminables. Les caprices de Mila l'insupportaient, les premiers babillements d'Adam lui étaient indifférents. Elle ressentait chaque jour un peu plus le besoin de marcher seule, et avait envie de hurler comme une folle dans la rue. « Ils me dévorent vivante », se disait-elle parfois.

Elle était jalouse de son mari. Le soir, elle l'attendait fébrilement derrière la porte. Elle passait une heure à se plaindre des cris des enfants, de la taille de l'appartement, de son absence de loisirs. Quand elle le laissait parler et qu'il racontait les séances d'enregistrement épiques d'un groupe de hip-hop, elle lui crachait : « Tu as de la chance. » Il répliquait : « Non, c'est toi qui as de la chance. Je voudrais tellement les voir grandir. » À ce jeu-là, il n'y avait jamais de gagnant.

La nuit, Paul dormait à côté d'elle du sommeil lourd de celui qui a travaillé toute la journée et qui mérite un bon repos. Elle se laissait ronger par l'aigreur et les regrets. Elle pensait aux efforts qu'elle avait faits pour finir ses études, malgré le manque d'argent et de soutien parental, à la joie qu'elle avait ressentie en étant reçue au barreau, à la première fois qu'elle avait porté la robe d'avocat et que Paul l'avait photographiée, devant la porte de leur immeuble, fière et souriante.

Pendant des mois, elle a fait semblant de supporter la situation. Même à Paul elle n'a pas su dire à quel point elle avait honte. À quel point elle se sentait mourir de n'avoir rien d'autre à raconter que les pitreries des enfants et les conversations entre des inconnus qu'elle épiait au supermarché. Elle s'est mise à refuser toutes les invitations à dîner, à ne plus répondre aux appels de ses amis. Elle se méfiait surtout des femmes, qui pouvaient se montrer si cruelles. Elle avait envie d'étrangler celles qui faisaient semblant de l'admirer ou, pire, de l'envier. Elle ne pouvait plus supporter de les écouter se plaindre de leur travail, de ne pas assez voir leurs enfants. Plus que tout, elle craignait les inconnus. Ceux qui demandaient innocemment ce qu'elle faisait comme métier et qui se détournaient à l'évocation d'une vie au foyer.

Un jour, en faisant ses courses au Monoprix du boulevard Saint-Denis, elle s'est aperçue qu'elle avait sans le vouloir subtilisé des chaussettes pour enfants, oubliées dans la poussette. Elle était à quelques mètres de chez elle et elle aurait pu retourner au magasin pour les rendre, mais elle y a renoncé. Elle ne l'a pas raconté à Paul. Cela n'avait aucun intérêt, et pourtant elle ne pouvait s'empêcher d'y penser. Régulièrement après cet épisode, elle se rendait au Monoprix et cachait dans la poussette de son fils un shampooing, une crème ou un rouge à lèvres qu'elle ne mettrait jamais. Elle savait très bien que, si on l'arrêtait, il lui suffirait de jouer le rôle de la mère débordée et qu'on croirait sans doute à sa bonne foi. Ces vols ridicules la mettaient en transe. Elle riait toute seule dans la rue, avec l'impression de se jouer du monde entier.

Quand elle a rencontré Pascal par hasard, elle a vu cela comme un signe. Son ancien camarade de la faculté de droit ne l'a pas tout de suite reconnue : elle portait un pantalon trop large, des bottes usées et avait attaché en chignon ses cheveux sales. Elle était debout, face au manège dont Mila refusait de descendre. « C'est le dernier tour », répétait-elle chaque fois que sa fille, agrippée à son cheval, passait devant elle et lui faisait signe. Elle a levé les yeux : Pascal lui souriait, les bras écartés pour signifier sa joie et sa surprise. Elle lui a rendu son sourire, les mains cramponnées à la poussette. Pascal n'avait pas beaucoup de temps, mais par chance son rendez-vous était à deux pas de chez Myriam. « Je devais rentrer de toute façon. On marche ensemble ? » lui a-t-elle proposé.

Myriam s'est jetée sur Mila, qui a poussé des cris stridents. Elle refusait d'avancer et Myriam s'entêtait à sourire, à faire semblant de maîtriser la situation. Elle n'arrêtait pas de penser au vieux pull qu'elle portait sous son manteau et dont Pascal avait dû apercevoir le col élimé. Frénétiquement, elle passait sa main sur ses tempes, comme si cela pouvait suffire à remettre de l'ordre dans ses cheveux secs et emmêlés. Pascal avait l'air de ne se rendre compte de rien. Il lui a parlé du cabinet qu'il avait monté avec deux copains de promotion, des difficultés et des joies de se mettre à son compte. Elle buvait ses paroles. Mila n'arrêtait pas de l'interrompre et Myriam aurait tout donné pour la faire taire. Sans lâcher Pascal des yeux, elle a fouillé dans ses poches, dans son sac, pour trouver une sucette, un bonbon, n'importe quoi pour acheter le silence de sa fille.

Pascal a à peine regardé les enfants. Il ne lui a pas demandé leurs prénoms. Même Adam, endormi dans sa poussette, le visage paisible et adorable, n'a pas semblé l'attendrir ni l'émouvoir.

« C'est ici. » Pascal l'a embrassée sur la joue. Il a dit : « J'ai été très heureux de te revoir » et il est entré dans un immeuble dont la lourde porte bleue, en claquant, a fait sursauter Myriam. Elle s'est mise à prier en silence. Là, dans la rue, elle était si désespérée qu'elle aurait pu s'asseoir par terre et pleurer. Elle aurait voulu s'accrocher à la jambe de Pascal, le supplier de l'emmener, de lui laisser sa chance. En rentrant chez elle, elle était totalement abattue. Elle a regardé Mila, qui jouait tranquillement. Elle a donné le bain au bébé et elle s'est dit que ce bonheur-là, ce bonheur simple, muet, carcéral, ne suffisait pas à la consoler. Pascal sans doute avait dû se moquer d'elle. Il avait peut-être même appelé d'anciens copains de fac pour leur raconter la vie pathétique de Myriam qui « ne ressemble plus à rien » et qui « n'a pas eu la carrière qu'on pensait ».

Toute la nuit, des conversations imaginaires lui ont rongé l'esprit. Le lendemain, elle venait à peine de sortir de sa douche quand elle a entendu le signal d'un texto. « Je ne sais pas si tu envisages de reprendre le droit. Si ça t'intéresse, on peut en discuter. » Myriam a failli hurler de joie. Elle s'est mise à sauter dans l'appartement et a embrassé Mila qui disait : « Qu'est-ce qu'il y a, maman ? Pourquoi tu ris ? » Plus tard, Myriam s'est demandé si Pascal avait perçu son désespoir ou si, tout simplement, il avait considéré que c'était une aubaine de tomber sur Myriam Charfa, l'étudiante la plus sérieuse qu'il ait jamais rencontrée. Peut-être a-t-il pensé qu'il était béni entre tous de pouvoir embaucher une femme comme elle, de la remettre sur le chemin des prétoires.

Myriam en a parlé à Paul et elle a été déçue de sa réaction. Il a haussé les épaules. « Mais je ne savais pas que tu avais envie de travailler. » Ça l'a mise terriblement en colère, plus qu'elle n'aurait dû. La conversation s'est vite envenimée. Elle l'a traité d'égoïste, il a qualifié son comportement d'inconséquent. « Tu vas travailler, je veux bien mais comment on fait pour les enfants ? » Il ricanait, tournant d'un coup en ridicule ses ambitions à elle, lui donnant encore plus l'impression qu'elle était bel et bien enfermée dans cet appartement.

Une fois calmés, ils ont patiemment étudié les options. On était fin janvier : ce n'était même pas la peine d'espérer trouver une place dans une crèche ou une halte-garderie. Ils ne connaissaient personne à la mairie. Et si elle se remettait à travailler, ils seraient dans la tranche de salaire la plus vicieuse : trop riches pour accéder en urgence à une aide et trop pauvres pour que l'embauche d'une nounou ne représente pas un sacrifice. C'est finalement la solution qu'ils ont choisie, après que Paul a affirmé : « En comptant les heures supplémentaires, la nounou et toi vous gagnerez à peu près la même chose. Mais enfin, si tu penses que ça peut t'épanouir... » Elle a gardé de cet échange un goût amer. Elle en a voulu à Paul.

Elle a souhaité faire les choses bien. Pour se rassurer, elle s'est rendue dans une agence qui venait d'ouvrir dans le quartier. Un petit bureau, décoré simplement, et que tenaient deux jeunes femmes d'une trentaine d'années. La devanture, peinte en bleu layette, était ornée d'étoiles et de petits dromadaires dorés. Myriam a sonné. À travers la vitre, la patronne l'a toisée. Elle s'est levée lentement et a passé la tête dans l'entrebâillement de la porte.

« Oui ?

— Bonjour.

— Vous venez pour vous inscrire? Il nous faut un dossier complet. Un curriculum vitae et des références signées par vos anciens employeurs.

— Non, pas du tout. Je viens pour mes enfants. Je cherche une nounou. »

Le visage de la fille s'est complètement transformé. Elle a paru contente de recevoir une cliente, et d'autant plus gênée de sa méprise. Mais comment aurait-elle pu croire que cette femme fatiguée, aux cheveux drus et frisés, était la mère de la jolie petite fille qui pleurnichait sur le trottoir?

La gérante a ouvert un grand catalogue au-dessus duquel Myriam s'est penchée. « Asseyez-vous », lui a-t-elle proposé. Des dizaines de photographies de femmes, pour la plupart africaines ou philippines, défilaient devant les yeux de Myriam. Mila s'en amusait. Elle disait: « Elle est moche celle-là, non? » Sa mère la houspillait et le cœur lourd elle revenait vers ces portraits flous ou mal cadrés, où pas une femme ne souriait.

La gérante la dégoûtait. Son hypocrisie, son visage rond et rougeaud, son écharpe élimée autour du cou. Son racisme, évident tout à l'heure. Tout lui donnait envie de fuir. Myriam lui a serré la main. Elle a promis qu'elle en parlerait à son mari et elle n'est jamais revenue. À la place, elle est allée accrocher elle-même une petite annonce dans les boutiques du quartier. Sur les conseils d'une amie, elle a inondé les sites Internet d'annonces stipulant URGENT. Au bout d'une semaine, ils avaient reçu six appels.

Cette nounou, elle l'attend comme le Sauveur, même si elle est terrorisée à l'idée de laisser ses enfants. Elle sait tout d'eux et voudrait garder ce savoir secret. Elle connaît leurs goûts, leurs manies. Elle devine immédiatement quand l'un d'eux est malade ou triste. Elle ne les a pas quittés des yeux, persuadée que personne ne pourrait les protéger aussi bien qu'elle.

Depuis qu'ils sont nés, elle a peur de tout. Surtout, elle a peur qu'ils meurent. Elle n'en parle jamais, ni à ses amis ni à Paul, mais elle est sûre que tous ont eu ces mêmes pensées. Elle est certaine que, comme elle, il leur est arrivé de regarder leur enfant dormir en se demandant ce que cela leur ferait si ce corps-là était un cadavre, si ces yeux fermés l'étaient pour toujours. Elle n'y peut rien. Des scénarios atroces s'échafaudent en elle, qu'elle balaie en secouant la tête, en récitant des prières, en touchant du bois et la main de Fatma qu'elle a héritée de sa mère. Elle conjure le sort, la maladie, les accidents, les appétits pervers des prédateurs. Elle rêve, la nuit, de leur disparition soudaine, au milieu d'une foule indifférente. Elle crie « Où sont mes enfants ? » et les gens rient. Ils pensent qu'elle est folle.

« Elle est en retard. Ça commence mal. » Paul s'impatiente. Il se dirige vers la porte d'entrée et regarde à travers le judas. Il est 14 h 15 et la première candidate, une Philippine, n'est toujours pas arrivée.

À 14 h 20, Gigi tape mollement à la porte. Myriam va lui ouvrir. Elle remarque tout de suite que la femme a de tout petits pieds. Malgré le froid, elle porte des tennis en tissu et des chaussettes blanches à volants. À près de cinquante ans, elle a des pieds d'enfant. Elle est assez élégante, les cheveux retenus en une natte qui lui tombe au milieu du dos. Paul lui fait sèchement remarquer son retard et Gigi baisse la tête en marmonnant des excuses. Elle s'exprime très mal en français. Paul se lance sans conviction dans un entretien en anglais. Gigi parle de son expérience. De ses enfants qu'elle a laissés au pays, du plus jeune qu'elle n'a pas vu depuis dix ans. Il ne l'embauchera pas. Il pose quelques questions pour la forme et à 14 h 30, il la raccompagne. « Nous vous rappellerons. *Thank you.* »

Suit Grace, une Ivoirienne souriante et sans papiers. Caroline, une blonde obèse aux cheveux sales, qui passe l'entretien à se plaindre de son mal de dos et de ses problèmes de circulation veineuse. Malika, une Marocaine d'un certain âge, qui a insisté sur ses vingt ans de métier et son amour des enfants. Myriam a été très claire. Elle ne veut pas engager une Maghrébine pour garder les petits. « Ce serait bien, essaie de la convaincre Paul. Elle leur parlerait en arabe puisque toi tu ne veux pas le faire. » Mais Myriam s'y refuse absolument. Elle craint que ne s'installe une complicité tacite, une familiarité entre elles deux. Que l'autre se mette à lui faire des remarques en arabe. À lui raconter sa vie et, bientôt, à lui demander mille choses au nom de leur langue et de leur religion communes. Elle s'est toujours méfiée de ce qu'elle appelle la solidarité d'immigrés.

Puis Louise est arrivée. Quand elle raconte ce premier entretien, Myriam adore dire que ce fut une évidence. Comme un coup de foudre amoureux. Elle insiste surtout sur la façon dont sa fille s'est comportée. « C'est elle qui l'a choisie », aime-t-elle à préciser. Mila venait de se réveiller de la sieste, tirée du sommeil par les cris stridents de son frère. Paul est allé chercher le bébé, suivi de près par la petite qui se cachait entre ses jambes. Louise s'est levée. Myriam décrit cette scène encore fascinée par l'assurance de la nounou. Louise a délicatement pris Adam des bras de son père et elle a fait semblant de ne pas voir Mila. « Où est la princesse ? J'ai cru apercevoir une princesse mais elle a disparu. » Mila s'est mise à rire aux éclats et Louise a continué son jeu, cherchant dans les recoins, sous la table, derrière le canapé, la mystérieuse princesse disparue.

Ils lui posent quelques questions. Louise dit que son mari est mort, que sa fille, Stéphanie, est grande maintenant — « presque vingt ans, c'est incroyable » —, qu'elle est très disponible. Elle tend à Paul un papier sur lequel sont inscrits les noms de ses anciens employeurs. Elle parle des Rouvier, qui figurent en haut de la liste. « Je suis restée chez eux longtemps. Ils avaient deux enfants, eux aussi. Deux garçons. » Paul et Myriam sont séduits par Louise, par ses traits lisses, son sourire franc, ses lèvres qui ne tremblent pas. Elle semble imperturbable. Elle a le regard d'une femme qui peut tout entendre et tout pardonner. Son visage est comme une mer paisible, dont personne ne pourrait soupçonner les abysses.

Le soir même, ils téléphonent au couple dont Louise leur a laissé le numéro. Une femme leur répond, un peu froidement. Quand elle entend le nom de Louise, elle change immédiatement de ton. « Louise ? Quelle chance vous avez d'être tombés sur elle. Elle a été comme une seconde mère pour mes garçons. Ça a été un vrai crève-cœur quand nous avons dû nous en séparer. Pour tout vous dire, à l'époque, j'ai même songé à faire un troisième enfant pour pouvoir la garder. »

Louise ouvre les volets de son appartement. Il est un peu plus de 5 heures du matin et, dehors, les lampadaires sont encore allumés. Un homme marche dans la rue, rasant les murs pour éviter la pluie. L'averse a duré toute la nuit. Le vent a sifflé dans les tuyaux et habité ses rêves. On dirait que la pluie tombe à l'horizontale pour frapper de plein fouet la façade de l'immeuble et les fenêtres. Louise aime regarder dehors. Juste en face de chez elle, entre deux bâtiments sinistres, il y a une petite maison, entourée d'un jardin broussailleux. Un jeune couple s'est installé là au début de l'été, des Parisiens dont les enfants jouent à la balançoire et nettoient le potager le dimanche. Louise se demande ce qu'ils sont venus faire dans ce quartier.

Le manque de sommeil la fait frissonner. Du bout de son ongle, elle gratte le coin de la fenêtre. Elle a beau les nettoyer frénétiquement, deux fois par semaine, les vitres lui paraissent toujours troubles, couvertes de poussière et de traînées noires. Parfois, elle voudrait les nettoyer jusqu'à les briser. Elle gratte, de plus en plus fort, de la pointe de son index et son ongle se brise. Elle porte son doigt à la bouche et le mord pour faire cesser le saignement.

L'appartement ne compte qu'une seule pièce, qui sert à Louise à la fois de chambre et de salon. Elle prend soin, chaque matin, de refermer le canapé-lit et de le recouvrir de sa housse noire. Elle prend ses repas sur la table basse, la télévision toujours allumée. Contre le mur, des cartons sont encore fermés. Ils contiennent peut-être les quelques objets qui pourraient donner vie à ce studio sans âme. À droite du sofa, il y a la photo d'une adolescente aux cheveux rouges dans un cadre étincelant.

Elle a délicatement étalé sur le canapé sa jupe longue et son chemisier. Elle attrape les ballerines qu'elle a posées par terre, un modèle acheté il y a plus de dix ans mais dont elle a pris tellement soin qu'il lui paraît avoir encore l'air neuf. Ce sont des chaussures vernies, très simples, à talons carrés et surmontées d'un discret petit nœud. Elle s'assoit et commence à en nettoyer une, en trempant un morceau de coton dans un pot de crème démaquillante. Ses gestes sont lents et précis. Elle nettoie avec un soin rageur, entièrement absorbée par sa tâche. Le coton s'est recouvert de saleté. Louise approche la chaussure de la lampe placée sur le guéridon. Quand le vernis lui paraît assez brillant, elle la repose et se saisit de la seconde.

Il est si tôt qu'elle a le temps de refaire ses ongles abîmés par le ménage. Elle entoure son index d'un pansement et étale sur ses autres doigts un vernis rose, très discret. Pour la première fois et malgré le prix, elle a fait teindre ses cheveux chez le coiffeur. Elle les ramène en chignon au-dessus de la nuque. Elle se maquille et le fard à paupières bleu la vieillit, elle dont la silhouette est si frêle, si menue, que de loin on lui donnerait à peine vingt ans. Elle a pourtant plus du double.

Elle tourne en rond dans la pièce qui ne lui a jamais paru si petite, si étroite. Elle s'assoit puis se relève presque aussitôt. Elle pourrait allumer la télévision. Boire un thé. Lire un vieil exemplaire de journal féminin qu'elle garde près de son lit. Mais elle a peur de se détendre, de laisser le temps filer, de céder à la torpeur. Ce réveil matinal l'a rendue fragile, vulnérable. Il suffirait d'un rien pour qu'elle ferme les yeux une minute, qu'elle s'endorme et qu'elle arrive en retard. Elle doit garder l'esprit vif, réussir à concentrer toute son attention sur ce premier jour de travail.

Elle ne peut pas attendre chez elle. Il n'est pas encore 6 heures, elle est très en avance, mais elle marche vite vers la station de RER. Elle met plus d'un quart d'heure à arriver à la gare de Saint-Maur-des-Fossés. Dans la rame, elle s'assoit face à un vieux Chinois qui dort, recroquevillé, le front contre la vitre. Elle fixe son visage épuisé. À chaque station, elle hésite à le réveiller. Elle a peur qu'il se perde, qu'il aille trop loin, qu'il ouvre les yeux, seul, au terminus et qu'il soit contraint de rebrousser chemin. Mais elle ne dit rien. Il est plus raisonnable de ne pas parler aux gens. Une fois, une jeune fille, brune, très belle, avait failli la gifler. « Pourquoi tu me regardes, toi? Hein, qu'est-ce que t'as à me regarder? » criait-elle.

Arrivée à Auber, Louise saute sur le quai. Il commence à y avoir du monde, une femme la bouscule alors qu'elle grimpe les escaliers vers les quais du métro. Une écœurante odeur de croissant et de chocolat brûlé la prend à la gorge. Elle emprunte la ligne 7 à Opéra et remonte à la surface à la station Poissonnière.

Louise a presque une heure d'avance et elle s'attable à la terrasse du Paradis, un café sans charme depuis lequel elle peut observer l'entrée de l'immeuble. Elle joue avec sa cuillère. Elle regarde avec envie l'homme à sa droite, qui tète sa cigarette de sa bouche lippue et vicieuse. Elle voudrait la lui saisir des mains et aspirer une longue bouffée. Elle n'y tient plus, paie son café et entre dans l'immeuble silencieux. Dans un quart d'heure elle sonnera et, en attendant, elle s'assoit sur une marche, entre deux étages. Elle entend un bruit, elle a à peine le temps de se lever, c'est Paul qui descend les escaliers en sautillant. Il porte son vélo sous le bras et un casque rose sur le crâne.

« Louise ? Vous êtes là depuis longtemps ? Pourquoi n'êtes-vous pas entrée ?

— Je ne voulais pas déranger.

— Vous ne dérangez pas, au contraire. Tenez, ce sont vos clés, dit-il en tirant un trousseau de sa poche. Allez-y, faites comme chez vous. »

« Ma nounou est une fée. » C'est ce que dit Myriam quand elle raconte l'irruption de Louise dans leur quotidien. Il faut qu'elle ait des pouvoirs magiques pour avoir transformé cet appartement étouffant, exigu, en un lieu paisible et clair. Louise a poussé les murs. Elle a rendu les placards plus profonds, les tiroirs plus larges. Elle a fait entrer la lumière.

Le premier jour, Myriam lui donne quelques consignes. Elle lui montre comment fonctionnent les appareils. Elle répète, en désignant des objets ou un vêtement : « Ça, faites-y attention. J'y tiens beaucoup. » Elle lui fait des recommandations sur la collection de vinyles de Paul, à laquelle les enfants ne doivent pas toucher. Louise acquiesce, mutique et docile. Elle observe chaque pièce avec l'aplomb d'un général devant une terre à conquérir.

Dans les semaines qui suivent son arrivée, Louise fait de cet appartement brouillon un parfait intérieur bourgeois. Elle impose ses manières désuètes, son goût pour la perfection. Myriam et Paul n'en reviennent pas. Elle recoud les boutons de leurs vestes qu'ils ne mettent plus depuis des mois par flemme de chercher une aiguille.

Elle refait les ourlets des jupes et des pantalons. Elle reprise les vêtements de Mila, que Myriam s'apprêtait à jeter sans regret. Louise lave les rideaux jaunis par le tabac et la poussière. Une fois par semaine, elle change les draps. Paul et Myriam s'en réjouissent. Paul lui dit en souriant qu'elle a des airs de Mary Poppins. Il n'est pas sûr qu'elle ait saisi le compliment.

La nuit, dans le confort de leurs draps frais, le couple rit, incrédule, de cette nouvelle vie qui est la leur. Ils ont le sentiment d'avoir trouvé la perle rare, d'être bénis. Bien sûr, le salaire de Louise pèse sur le budget familial mais Paul ne s'en plaint plus. En quelques semaines, la présence de Louise est devenue indispensable.

Le soir, quand Myriam rentre chez elle, elle trouve le dîner prêt. Les enfants sont calmes et peignés. Louise suscite et comble les fantasmes de famille idéale que Myriam a honte de nourrir. Elle apprend à Mila à ranger derrière elle et la petite fille accroche, sous les yeux ébahis de ses parents, son manteau à la patère.

Les biens inutiles ont disparu. Avec elle, plus rien ne s'accumule, ni la vaisselle, ni les vêtements sales, ni les enveloppes qu'on a oublié d'ouvrir et qu'on retrouve sous un vieux magazine. Rien ne pourrit, rien ne se périme. Louise ne néglige jamais rien. Louise est scrupuleuse. Elle note tout dans un petit carnet à la couverture fleurie. Les horaires de la danse, des sorties d'école, des rendez-vous chez le pédiatre. Elle copie le nom des médicaments que prennent les petits, le prix de la glace qu'elle a achetée au manège et la phrase exacte que lui a dite la maîtresse de Mila.

Au bout de quelques semaines, elle n'hésite plus à changer les objets de place. Elle vide entièrement les placards, accroche des sachets de lavande entre les manteaux. Elle fait des bouquets de fleurs. Elle éprouve un contentement serein quand, Adam endormi et Mila à l'école, elle peut s'asseoir et contempler sa tâche. L'appartement silencieux est tout entier sous son joug comme un ennemi qui aurait demandé grâce.

Mais c'est dans la cuisine qu'elle accomplit les plus extraordinaires merveilles. Myriam lui a avoué qu'elle ne savait rien faire et qu'elle n'en avait pas le goût. La nounou prépare des plats que Paul juge extraordinaires et que les enfants dévorent, sans un mot et sans que jamais on ait besoin de leur ordonner de finir leur assiette. Myriam et Paul recommencent à inviter des amis qui se régalent des blanquettes de veau, des pot-au-feu, des jarrets à la sauge et des légumes croquants que fait mijoter Louise. Ils félicitent Myriam, la couvrent de compliments mais elle avoue toujours : « C'est ma nounou qui a tout fait. »

Quand Mila est à l'école, Louise attache Adam contre elle avec une grande étole. Elle aime sentir les cuisses potelées de l'enfant sur son ventre, sa salive qui coule dans son cou quand il s'endort. Elle chante toute la journée pour ce bébé dont elle exalte la paresse. Elle le masse, s'enorgueillit de ses bourrelets, de ses joues roses et rebondies. Le matin, l'enfant l'accueille en gazouillant, ses gros bras tendus vers elle. Dans les semaines qui suivent l'arrivée de Louise, Adam apprend à marcher. Lui qui criait toutes les nuits dort d'un sommeil paisible jusqu'au matin.

Mila, elle, est plus farouche. C'est une petite fille frêle au port de ballerine. Louise lui fait des chignons si serrés que la petite a les yeux bridés, étirés sur les tempes. Elle ressemble alors à l'une de ces héroïnes du Moyen Âge au front large, au regard noble et froid. Mila est une enfant difficile, épuisante. Elle répond à toutes les contrariétés par des hurlements. Elle se jette par terre en pleine rue, trépigne, se laisse traîner sur le sol pour humilier Louise. Quand la nounou s'accroupit et tente de lui parler, Mila regarde ailleurs. Elle compte à haute voix les papillons sur le papier peint. Elle s'observe dans le miroir quand elle pleure. Cette enfant est obsédée par son propre reflet. Dans la rue, elle a les yeux rivés sur les vitrines. À plusieurs reprises, elle s'est cognée contre des poteaux ou elle a trébuché sur les petits obstacles du trottoir, distraite par la contemplation d'elle-même.

Mila est maligne. Elle sait que la foule veille, et que Louise a honte dans la rue. La nounou cède plus vite quand elles ont un public. Louise doit faire des détours pour éviter le magasin de jouets de l'avenue, devant lequel l'enfant pousse des cris stridents. Sur le chemin de l'école, Mila traîne des pieds. Elle vole une framboise sur l'étal d'un primeur. Elle monte sur le rebord des vitrines, se cache sous les porches d'immeuble et s'enfuit à toutes jambes. Louise essaie de courir avec la poussette, elle hurle le nom de la petite qui ne s'arrête qu'à l'extrême bord du trottoir. Parfois, Mila regrette. Elle s'inquiète de la pâleur de Louise et des frayeurs qu'elle lui cause. Elle revient aimante, câline, se faire pardonner. Elle s'accroche aux jambes de la nounou. Elle pleure et réclame de la tendresse.

Lentement, Louise apprivoise l'enfant. Jour après jour, elle lui raconte des histoires où reviennent toujours les mêmes personnages. Des orphelins, des petites filles perdues, des princesses prisonnières et des châteaux que des ogres terribles laissent à l'abandon. Une faune étrange, faite d'oiseaux au nez tordu, d'ours à une jambe et de licornes mélancoliques, peuple les paysages de Louise. La fillette se tait. Elle reste près d'elle, attentive, impatiente. Elle réclame le retour des personnages. D'où viennent ces histoires ? Elles émanent d'elle, en flot continu, sans qu'elle y pense, sans qu'elle fasse le moindre effort de mémoire ou d'imagination. Mais dans quel lac noir, dans quelle forêt profonde est-elle allée pêcher ces contes cruels où les gentils meurent à la fin, non sans avoir sauvé le monde ?

Myriam est toujours déçue quand elle entend s'ouvrir la porte du cabinet d'avocats dans lequel elle travaille. Vers 9 h 30, ses collègues commencent à arriver. Ils se servent un café, les téléphones hurlent, le parquet craque, le calme est brisé.

Myriam est au bureau avant 8 heures. Elle est toujours la première. Elle n'allume que la petite lampe posée sur son bureau. Sous ce halo de lumière, dans ce silence de caverne, elle retrouve la concentration de ses années d'étudiante. Elle oublie tout et se plonge avec délectation dans l'examen de ses dossiers. Elle marche parfois dans le couloir sombre, un document à la main, et elle parle toute seule. Elle fume une cigarette sur le balcon en buvant son café.

Le jour où elle a repris le travail, Myriam s'est réveillée aux aurores, pleine d'une excitation enfantine. Elle a mis une jupe neuve, des talons, et Louise s'est exclamée : «Vous êtes très belle.» Sur le pas de la porte, Adam dans les bras, la nounou a poussé sa patronne dehors. «Ne vous inquiétez pas pour nous, a-t-elle répété. Ici, tout ira bien.»

Pascal a accueilli Myriam avec chaleur. Il lui a donné le bureau qui communique avec le sien par une porte qu'ils laissent souvent entrouverte. Deux ou trois semaines seulement après son arrivée, Pascal lui a confié des responsabilités auxquelles des collaborateurs vieillissants n'ont jamais eu droit. Au fil des mois, Myriam traite seule les cas de dizaine de clients. Pascal l'encourage à se faire la main et à déployer sa force de travail, qu'il sait immense. Elle ne dit jamais non. Elle ne refuse aucun des dossiers que Pascal lui tend, elle ne se plaint jamais de terminer tard. Pascal lui dit souvent: « Tu es parfaite. » Pendant des mois, elle croule sous les petites affaires. Elle défend des dealers minables, des demeurés, un exhibitionniste, des braqueurs sans talent, des alcooliques arrêtés au volant. Elle traite les cas de surendettement, les fraudes à la carte bleue, les usurpations d'identité.

Pascal compte sur elle pour trouver de nouveaux clients et il l'encourage à consacrer du temps à l'aide juridictionnelle. Deux fois par mois, elle se rend au tribunal de Bobigny, et elle attend dans le couloir, jusqu'à 21 heures, les yeux rivés sur sa montre, et le temps qui ne passe pas. Elle s'agace parfois, répond de manière brutale à des clients déboussolés. Mais elle fait de son mieux et elle obtient tout ce qu'elle peut. Pascal le lui répète sans cesse: « Tu dois connaître ton dossier par cœur. » Et elle s'y emploie. Elle relit les procès-verbaux jusque tard dans la nuit. Elle soulève la moindre imprécision, repère la plus petite erreur de procédure. Elle y met une rage maniaque qui finit par payer. D'anciens clients la conseillent à des amis. Son nom circule parmi les détenus. Un jeune homme, à qui elle a évité une peine de prison ferme, lui promet de la récompenser. « Tu m'as sorti de là. Je ne l'oublierai pas. »

Un soir, elle est appelée en pleine nuit pour assister à une garde à vue. Un ancien client a été arrêté pour violence conjugale. Il lui avait pourtant juré qu'il était incapable de porter un coup à une femme. Elle s'est habillée dans le noir, à 2 heures du matin, sans faire de bruit, et elle s'est penchée vers Paul pour l'embrasser. Il a grogné et il s'est retourné.

Souvent, son mari lui dit qu'elle travaille trop et ça la met en rage. Il s'offusque de sa réaction, surjoue la bienveillance. Il fait semblant de se préoccuper de sa santé, de s'inquiéter que Pascal ne l'exploite. Elle essaie de ne pas penser à ses enfants, de ne pas laisser la culpabilité la ronger. Parfois, elle en vient à imaginer qu'ils se sont tous ligués contre elle. Sa belle-mère tente de la persuader que « si Mila est si souvent malade c'est parce qu'elle se sent seule ». Ses collègues ne lui proposent jamais de les accompagner boire un verre après le travail et s'étonnent des nuits qu'elle passe au bureau. « Mais tu n'as pas des enfants, toi ? » Jusqu'à la maîtresse, qui l'a convoquée un matin pour lui parler d'un incident idiot entre Mila et une camarade de classe. Lorsque Myriam s'est excusée d'avoir manqué les dernières réunions et d'avoir envoyé Louise à sa place, la maîtresse aux cheveux gris a fait un large geste de la main. « Si vous saviez ! C'est le mal du siècle. Tous ces pauvres enfants sont livrés à eux-mêmes, pendant que les deux parents sont dévorés par la même ambition. C'est simple, ils courent tout le temps. Vous savez quelle est la phrase que les parents disent le plus souvent à leurs enfants ? "Dépêche-toi !" Et bien sûr, c'est nous qui subissons tout. Les petits nous font payer leurs angoisses et leur sentiment d'abandon. »

Myriam avait furieusement envie de la remettre à sa place mais elle en était incapable. Était-ce dû à cette petite chaise, sur laquelle elle était mal assise, dans cette classe qui sentait la peinture et la pâte à modeler ? Le décor, la voix de l'institutrice la ramenaient de force à l'enfance, à cet âge de l'obéissance et de la contrainte. Myriam a souri. Elle a remercié bêtement et elle a promis que Mila ferait des progrès. Elle s'est retenue de jeter au visage de cette vieille harpie sa misogynie et ses leçons de morale. Elle avait trop peur que la dame aux cheveux gris ne se venge sur son enfant.

Pascal, lui, semble comprendre la rage qui l'habite, sa faim immense de reconnaissance et de défis à sa mesure. Entre Pascal et elle, un combat s'engage auquel ils prennent tous les deux un plaisir ambigu. Il la pousse, elle lui tient tête. Il l'épuise, elle ne le déçoit pas. Un soir, il l'invite à boire un verre après le travail. « Ça va faire six mois que tu es parmi nous, ça se fête, non ? » Ils marchent en silence dans la rue. Il lui tient la porte du bistrot et elle lui sourit. Ils s'assoient au fond de la salle, sur des banquettes tapissées. Pascal commande une bouteille de vin blanc. Ils parlent d'un dossier en cours et, très vite, ils se mettent à évoquer des souvenirs de leurs années étudiantes. La grande fête qu'avait organisée leur amie Charlotte dans son hôtel particulier du dix-huitième arrondissement. La crise de panique, absolument hilarante, de la pauvre Céline le jour des oraux. Myriam boit vite et Pascal la fait rire. Elle n'a pas envie de rentrer chez elle. Elle voudrait n'avoir personne à prévenir, personne qui l'attend. Mais il y a Paul. Et il y a les enfants.

Une tension érotique légère, piquante, lui brûle la gorge et les seins. Elle passe sa langue sur ses lèvres. Elle a envie de quelque chose. Pour la première fois depuis longtemps, elle éprouve un désir gratuit, futile, égoïste. Un désir d'elle-même. Elle a beau aimer Paul, le corps de son mari est comme lesté de souvenirs. Lorsqu'il la pénètre, c'est dans son ventre de mère qu'il entre, son ventre lourd, où le sperme de Paul s'est si souvent logé. Son ventre de replis et de vagues, où ils ont bâti leur maison, où ont fleuri tant de soucis et tant de joies. Paul a massé ses jambes gonflées et violettes. Il a vu le sang s'étaler sur les draps. Paul lui a tenu les cheveux et le front pendant qu'elle vomissait, accroupie. Il l'a entendue hurler. Il a épongé son visage couvert d'angiomes tandis qu'elle poussait. Il a extrait d'elle ses enfants.

Elle avait toujours refusé l'idée que ses enfants puissent être une entrave à sa réussite, à sa liberté. Comme une ancre qui entraîne vers le fond, qui tire le visage du noyé dans la boue. Cette prise de conscience l'a plongée au début dans une profonde tristesse. Elle trouvait cela injuste, terriblement frustrant. Elle s'était rendu compte qu'elle ne pourrait plus jamais vivre sans avoir le sentiment d'être incomplète, de faire mal les choses, de sacrifier un pan de sa vie au profit d'un autre. Elle en avait fait un drame, refusant de renoncer au rêve de cette maternité idéale. S'entêtant à penser que tout était possible, qu'elle atteindrait tous ses objectifs, qu'elle ne serait ni aigre ni épuisée. Qu'elle ne jouerait ni à la martyre ni à la Mère courage.

Tous les jours, ou presque, Myriam reçoit une notification de la part de son amie Emma. Elle poste sur les réseaux sociaux des portraits au ton sépia de ses deux enfants blonds. Des enfants parfaits qui jouent dans un parc et qu'elle a inscrits dans une école qui épanouira les dons que, déjà, elle devine en eux. Elle leur a donné des prénoms imprononçables, issus de la mythologie nordique et dont elle aime à expliquer la signification. Emma est belle, elle aussi, sur ces photographies. Son mari, lui, n'apparaît jamais, éternellement voué à prendre en photo une famille idéale à laquelle il n'appartient que comme spectateur. Il fait pourtant des efforts pour entrer dans le cadre. Lui, qui porte la barbe, des pulls en laine naturelle, lui qui met pour travailler des pantalons serrés et inconfortables.

Myriam n'oserait jamais confier à Emma cette pensée fugace qui la traverse, cette idée qui n'est pas cruelle mais honteuse, et qu'elle a en observant Louise et ses enfants. Nous ne serons heureux, se dit-elle alors, que lorsque nous n'aurons plus besoin les uns des autres. Quand nous pourrons vivre une vie à nous, une vie qui nous appartienne, qui ne regarde pas les autres. Quand nous serons libres.

Myriam se dirige vers la porte et regarde à travers le judas. Toutes les cinq minutes, elle répète : « Ils sont en retard. » Elle rend Mila nerveuse. Assise sur le bord du canapé, dans son affreuse robe en taffetas, Mila a les larmes aux yeux. « Tu crois qu'ils ne viendront pas ?

— Mais bien sûr qu'ils viendront, répond Louise. Laissez-leur le temps d'arriver. »

Les préparatifs pour l'anniversaire de Mila ont pris des proportions qui dépassent Myriam. Depuis deux semaines, Louise ne parle que de ça. Le soir, quand Myriam rentre épuisée du travail, Louise lui montre les guirlandes qu'elle a confectionnées elle-même. Elle lui décrit avec une voix hystérique cette robe en taffetas qu'elle a trouvée dans une boutique et qui, elle en est certaine, rendra Mila folle de joie. Plusieurs fois, Myriam a dû se retenir de la rabrouer. Elle est fatiguée de ces préoccupations ridicules. Mila est si petite ! Elle ne voit pas l'intérêt de se mettre dans des états pareils. Mais Louise la fixe, de ses petits yeux écarquillés. Elle prend à témoin Mila qui exulte de bonheur. C'est tout ce qui compte, le plaisir de cette princesse, la féerie de

46

l'anniversaire à venir. Myriam ravale ses sarcasmes. Elle se sent un peu prise en faute et finit par promettre qu'elle fera de son mieux pour assister à l'anniversaire.

Louise a décidé d'organiser la fête un mercredi après-midi. Elle voulait être sûre que les enfants seraient à Paris et que tout le monde répondrait présent. Myriam s'est rendue au travail le matin et elle a juré d'être de retour après le déjeuner.

Quand elle est rentrée chez elle, en début d'après-midi, elle a failli pousser un cri. Elle ne reconnaissait plus son propre appartement. Le salon était littéralement transformé, dégoulinant de paillettes, de ballons, de guirlandes en papier. Mais surtout, le canapé avait été enlevé pour permettre aux enfants de jouer. Et même la table en chêne, si lourde qu'ils ne l'avaient jamais changée de place depuis leur arrivée, avait été déplacée de l'autre côté de la pièce.

« Mais qui a bougé ces meubles ? C'est Paul qui vous a aidée ?

— Non, répond Louise. J'ai fait cela toute seule. »

Myriam, incrédule, a envie de rire. C'est une blague, pense-t-elle, en observant les bras menus de la nounou, aussi fins que des allumettes. Puis elle se souvient qu'elle a déjà remarqué l'étonnante force de Louise. Une ou deux fois, elle a été impressionnée par la façon dont elle se saisissait de paquets lourds et encombrants, tout en tenant Adam dans ses bras. Derrière ce physique fragile, étroit, Louise cache une vigueur de colosse.

Toute la matinée, Louise a gonflé des ballons auxquels elle a donné des formes d'animaux et elle les a collés partout, du hall jusque sur les tiroirs de la cuisine. Elle

47

a fait elle-même le gâteau d'anniversaire, une énorme charlotte aux fruits rouges surmontée de décorations.

Myriam regrette d'avoir pris son après-midi. Elle aurait été si bien, dans le calme de son bureau. L'anniversaire de sa fille l'angoisse. Elle a peur d'assister au spectacle des enfants qui s'ennuient et qui s'impatientent. Elle ne veut pas avoir à raisonner ceux qui se disputent ni à consoler ceux dont les parents sont en retard pour venir les chercher. Des souvenirs glaçants de sa propre enfance lui reviennent en mémoire. Elle se revoit assise sur un épais tapis en laine blanc, isolée du groupe de petites filles qui jouaient à la dînette. Elle avait laissé fondre un morceau de chocolat entre les fils de laine puis elle avait essayé de dissimuler son méfait, ce qui n'avait fait qu'empirer les choses. La mère de son hôte l'avait grondée devant tout le monde.

Myriam se cache dans sa chambre, dont elle ferme la porte, et elle fait semblant d'être absorbée par la lecture de ses mails. Elle sait que, comme toujours, elle peut compter sur Louise. La sonnette se met à retentir. Le salon enfle de bruits enfantins. Louise a mis de la musique. Myriam sort discrètement de la chambre et elle observe les petits, agglutinés autour de la nounou. Ils tournent autour d'elle, totalement captivés. Elle a préparé des chansons et des tours de magie. Elle se déguise sous leurs yeux stupéfaits et les enfants, qui ne sont pourtant pas faciles à berner, savent qu'elle est des leurs. Elle est là, vibrante, joyeuse, taquine. Elle entonne des chansons, fait des bruits d'animaux. Elle prend même Mila et un camarade sur le dos devant des gamins qui rient aux larmes et la supplient de participer, eux aussi, au rodéo.

Myriam admire chez Louise cette capacité à jouer vraiment. Elle joue, animée de cette toute-puissance que seuls les enfants possèdent. Un soir, en rentrant chez elle, Myriam trouve Louise couchée par terre, le visage peinturluré. Sur les joues et le front, de larges traits noirs lui font un masque de guerrière. Elle s'est fabriqué une coiffe indienne en papier crépon. Au milieu du salon, elle a construit un tipi tordu avec un drap, un balai et une chaise. Debout dans l'entrebâillement de la porte, Myriam est troublée. Elle observe Louise qui se tord, qui pousse des cris sauvages et elle en est affreusement gênée. La nounou a l'air soûle. C'est la première pensée qui lui vient. En l'apercevant, Louise se lève, les joues rouges, la démarche titubante. « J'ai des fourmis dans les jambes », s'excuse-t-elle. Adam s'est accroché à son mollet et Louise rit, d'un rire qui appartient encore au pays imaginaire dans lequel ils ont ancré leur jeu.

Peut-être, se rassure Myriam, que Louise est une enfant elle aussi. Elle prend très au sérieux les jeux qu'elle lance avec Mila. Elles s'amusent par exemple au policier et au voleur, et Louise se laisse enfermer derrière des barreaux imaginaires. Parfois, c'est elle qui représente l'ordre et qui court après Mila. À chaque fois, elle invente une géographie précise que Mila doit mémoriser. Elle confectionne des costumes, élabore un scénario plein de rebondissements. Elle prépare le décor avec un soin minutieux. L'enfant parfois se lasse. « Allez, on commence ! » supplie-t-elle.

Myriam ne le sait pas mais ce que Louise préfère, c'est jouer à cache-cache. Sauf que personne ne compte et qu'il n'y a pas de règles. Le jeu repose d'abord sur l'effet de surprise. Sans prévenir, Louise disparaît. Elle se blottit dans un coin et laisse les enfants la chercher. Elle choisit souvent des endroits où, cachée, elle peut continuer à les observer. Elle se glisse sous le lit ou derrière une porte et elle ne bouge pas. Elle retient sa respiration.

Mila comprend alors que le jeu a commencé. Elle crie, comme folle, et elle tape dans ses mains. Adam la suit. Il rit tellement qu'il a du mal à se tenir debout et tombe, plusieurs fois, sur les fesses. Ils l'appellent mais Louise ne répond pas. « Louise ? Où es-tu ? » « Attention Louise, on arrive, on va te trouver. »

Louise ne dit rien. Elle ne sort pas de sa cachette, même quand ils hurlent, qu'ils pleurent, qu'ils se désespèrent. Tapie dans l'ombre, elle espionne la panique d'Adam, prostré, secoué de sanglots. Il ne comprend pas. Il appelle « Louise » en avalant la dernière syllabe, la morve coulant sur ses lèvres, les joues violettes de rage. Mila, elle aussi, finit par avoir peur. Pendant un instant, elle se met à croire que Louise est vraiment partie, qu'elle les a abandonnés dans cet appartement où la nuit va tomber, qu'ils sont seuls et qu'elle ne reviendra plus.

L'angoisse est insupportable et Mila supplie la nounou. Elle dit : « Louise, c'est pas drôle. Où es-tu ? » L'enfant s'énerve, tape des pieds. Louise attend. Elle les regarde comme on étudie l'agonie du poisson à peine pêché, les ouïes en sang, le corps secoué de convulsions. Le poisson qui frétille sur le sol du bateau, qui tète l'air de sa bouche épuisée, le poisson qui n'a aucune chance de s'en sortir.

Puis Mila s'est mise à découvrir les cachettes. Elle a compris qu'il fallait tirer les portes, soulever les rideaux, se baisser pour regarder sous le sommier. Mais Louise est si menue qu'elle trouve toujours de nouvelles tanières où se réfugier. Elle se glisse dans le panier à linge sale, sous le bureau de Paul ou au fond d'un placard et rabat sur elle une couverture. Il lui est arrivé de se cacher dans la cabine de douche dans l'obscurité de la salle de bains. Mila, alors, cherche en vain. Elle sanglote et Louise se fige. Le désespoir de l'enfant ne la fait pas plier.

Un jour, Mila ne crie plus. Louise est prise à son propre piège. Mila se tait, tourne autour de la cachette et fait semblant de ne pas découvrir la nounou. Elle s'assoit sur le panier à linge sale et Louise se sent étouffer. « On fait la paix ? » murmure l'enfant.

Mais Louise ne veut pas abdiquer. Elle reste silencieuse, les genoux collés au menton. Les pieds de la petite fille tapent doucement contre le panier à linge en osier. « Louise, je sais que tu es là », dit-elle en riant. D'un coup, Louise se lève, avec une brusquerie qui surprend Mila et qui la projette sur le sol. Sa tête cogne contre les carreaux de la douche. Étourdie, l'enfant pleure puis, face à Louise triomphante, ressuscitée, Louise qui la regarde du haut de sa victoire, sa terreur se mue en une joie hystérique. Adam a couru jusqu'à la salle de bains et il se mêle à la gigue à laquelle se livrent les deux filles, qui gloussent à s'en étouffer.

Stéphanie

À huit ans, Stéphanie savait changer une couche et préparer un biberon. Elle avait des gestes sûrs et passait, sans trembler, sa main sous la nuque fragile des nourrissons lorsqu'elle les soulevait de leur lit à barreaux. Elle savait qu'il faut les coucher sur le dos et ne jamais les secouer. Elle leur donnait le bain, sa main fermement agrippée à l'épaule du petit. Les cris, les vagissements des nouveau-nés, leurs rires, leurs pleurs ont bercé ses souvenirs d'enfant unique. On se réjouissait de l'amour qu'elle vouait aux bambins. On lui trouvait une exceptionnelle fibre maternelle et un sens du dévouement rare pour une si petite fille.

Quand Stéphanie était enfant, sa mère, Louise, gardait les bébés chez elle. Ou plutôt chez Jacques, comme ce dernier s'obstinait à le faire remarquer. Le matin, les mères déposaient les petits. Elle se souvient de ces femmes, pressées et tristes, qui restaient l'oreille collée contre la porte. Louise lui avait appris à écouter leurs pas angoissés dans le couloir de la résidence. Certaines reprenaient le travail très vite après leur accouchement et elles déposaient de minuscules nourrissons dans les bras de Louise. Elles lui confiaient aussi, dans des sacs opaques, le lait qu'elles avaient tiré dans la nuit et que Louise rangeait au frigo. Stéphanie se souvient de ces petits pots placés sur l'étagère et sur lesquels étaient inscrits les prénoms des enfants. Une nuit, elle s'était levée et elle avait ouvert le pot au nom de Jules, un nourrisson rougeaud dont les ongles pointus lui avaient griffé la joue. Elle l'avait bu d'un trait. Elle n'a jamais oublié ce goût de melon avarié, ce goût aigre qui était resté dans sa bouche pendant des jours.

Le samedi soir, il lui arrivait d'accompagner sa mère pour des baby-sittings dans des appartements qui lui paraissaient immenses. Des femmes, belles et importantes, passaient dans le couloir et laissaient sur la joue de leurs enfants une trace de rouge à lèvres. Les hommes n'aimaient pas attendre dans le salon, gênés par la présence de Louise et de Stéphanie. Ils trépignaient en souriant bêtement. Ils houspillaient leurs épouses puis les aidaient à enfiler leurs manteaux. Avant de partir, la femme s'accroupissait, en équilibre sur ses fins talons, et elle essuyait les larmes sur les joues de son fils. « Ne pleure plus, mon amour. Louise va te raconter une histoire et te faire un câlin. N'est-ce pas, Louise ? » Louise acquiesçait. Elle tenait à bout de bras les enfants qui se débattaient, qui hurlaient en réclamant leur mère. Parfois, Stéphanie les haïssait. Elle avait en horreur la façon dont ils frappaient Louise, dont ils lui parlaient comme de petits tyrans.

Pendant que Louise couchait les petits, Stéphanie fouillait dans les tiroirs, dans les boîtes posées sur les guéridons. Elle tirait les albums photo cachés sous les tables basses. Louise nettoyait tout. Elle faisait la vaisselle, passait une éponge sur le plan de travail de la cuisine. Elle pliait les vêtements que madame avait jetés sur son lit avant de partir, hésitant sur la tenue qu'elle allait porter. « Tu n'es pas obligée de faire la vaisselle, répétait Stéphanie, viens t'asseoir avec moi.» Mais Louise adorait ça. Elle adorait observer le visage ravi des parents qui, en rentrant, constataient qu'ils avaient eu droit à une femme de ménage gratuite en plus de la baby-sitter.

Les Rouvier, pour qui Louise a travaillé pendant plusieurs années, les ont emmenées dans leur maison de campagne. Louise travaillait et Stéphanie, elle, était en vacances. Mais elle n'était pas là, comme les petits maîtres de maison, pour prendre le soleil et se gaver de fruits. Elle n'était pas là pour contourner les règles, veiller tard et apprendre à faire de la bicyclette. Si elle était là, c'est parce que personne ne savait quoi faire d'elle. Sa mère lui disait de se montrer discrète, de jouer en silence. De ne pas donner l'impression de trop en profiter. « Ils ont beau dire que ce sont un peu nos vacances à nous aussi, si tu t'amuses trop, ils le prendront mal.» À table, elle s'asseyait à côté de sa mère, loin des hôtes et de leurs invités. Elle se souvient que les gens parlaient, parlaient encore. Sa mère et elle baissaient les yeux et engloutissaient leurs plats en silence.

Les Rouvier supportaient mal la présence de la petite fille. Ça les gênait, c'était presque physique. Ils éprouvaient une honteuse antipathie à l'endroit de cette enfant brune, dans son maillot délavé, cette enfant empotée, au visage inexpressif. Quand elle s'asseyait dans le salon, à côté du petit Hector et de Tancrède, pour regarder la télévision, les parents ne pouvaient pas s'empêcher d'en être contrariés. Ils finissaient toujours par lui demander un service — « Stéphanie, tu seras mignonne, va me chercher mes lunettes posées dans l'entrée » — ou par lui dire que sa mère l'attendait dans la cuisine. Heureusement, Louise interdisait à sa fille de s'approcher de la piscine, sans même que les Rouvier aient à intervenir.

La veille du départ, Hector et Tancrède ont invité des voisins à jouer avec leur trampoline flambant neuf. Stéphanie, qui était à peine plus âgée que les garçons, effectuait d'impressionnantes figures. Des sauts périlleux, des cabrioles qui faisaient pousser des cris enthousiastes aux autres enfants. Mme Rouvier a fini par demander à Stéphanie de descendre, pour laisser jouer les petits. Elle s'est approchée de son mari et d'une voix compatissante, elle lui a dit : « On ne devrait peut-être pas lui proposer de revenir. Je crois que c'est trop dur pour elle. Ça doit la faire souffrir de voir tout ce à quoi elle n'a pas droit. » Son mari a souri, soulagé.

Toute la semaine, Myriam a attendu cette soirée. Elle ouvre la porte de l'appartement. Le sac à main de Louise est posé sur le fauteuil du salon. Elle entend chanter des voix enfantines. Une souris verte et des bateaux sur l'eau, quelque chose qui tourne et quelque chose qui flotte. Elle avance sur la pointe des pieds. Louise est à genoux sur le sol, penchée au-dessus de la baignoire. Mila trempe le corps de sa poupée rousse dans l'eau et Adam tape des mains en chantonnant. Délicatement, Louise prélève des blocs de mousse qu'elle pose sur la tête des enfants. Ils rient de ces chapeaux qui s'envolent sous le souffle de la nounou.

Dans le métro qui la ramenait à la maison, Myriam était impatiente comme une amoureuse. Elle n'a pas vu ses enfants de la semaine et, ce soir, elle s'est promis de se consacrer tout entière à eux. Ensemble, ils se glisseront dans le grand lit. Elle les chatouillera, les embrassera, elle les tiendra contre elle jusqu'à les étourdir. Jusqu'à ce qu'ils se débattent.

Cachée derrière la porte de la salle de bains, elle les regarde et elle prend une profonde inspiration. Elle a le besoin éperdu de se nourrir de leur peau, de poser des baisers sur leurs petites mains, d'entendre leurs voix aiguës l'appeler « maman ». Elle se sent sentimentale tout à coup. C'est ça qu'être mère a provoqué. Ça la rend un peu bête parfois. Elle voit de l'exceptionnel dans ce qui est banal. Elle s'émeut pour un rien.

Cette semaine, elle est rentrée tard tous les jours. Ses enfants dormaient déjà et après le départ de Louise, il lui est arrivé de se coucher contre Mila, dans son petit lit, et de respirer l'odeur délicieuse des cheveux de sa fille, une odeur chimique de bonbon à la fraise. Ce soir, elle leur permettra des choses habituellement interdites. Ils mangeront sous la couette des sandwichs au beurre salé et au chocolat. Ils regarderont un dessin animé et ils s'endormiront tard, collés les uns aux autres. Dans la nuit, elle recevra des coups de pied au visage et elle dormira mal parce qu'elle s'inquiétera de voir Adam tomber.

Les enfants sortent de l'eau et courent se jeter, nus, dans les bras de leur mère. Louise se met à ranger la salle de bains. Elle nettoie la baignoire avec une éponge et Myriam lui dit : « Ce n'est pas la peine, ne vous dérangez pas. Il est déjà tard. Vous pouvez rentrer chez vous. Vous avez dû avoir une rude journée. » Louise fait mine de ne pas l'entendre et, accroupie, elle continue d'astiquer les rebords de la baignoire et de remettre en place les jouets que les enfants ont éparpillés.

Louise plie les serviettes. Elle vide la machine à laver et prépare le lit des enfants. Elle repose l'éponge dans un placard de la cuisine et sort une casserole qu'elle met sur le feu. Démunie, Myriam la regarde s'agiter. Elle essaie de la raisonner. « Je vais le faire, je vous assure. » Elle tente de lui prendre la casserole des mains mais Louise tient le manche serré dans sa paume. Avec douceur, elle repousse Myriam. « Reposez-vous, dit-elle. Vous devez être fatiguée. Profitez de vos enfants, je vais leur préparer à dîner. Vous ne me verrez même pas. »

Et c'est vrai. Plus les semaines passent et plus Louise excelle à devenir à la fois invisible et indispensable. Myriam ne l'appelle plus pour prévenir de ses retards et Mila ne demande plus quand rentrera maman. Louise est là, tenant à bout de bras cet édifice fragile. Myriam accepte de se faire materner. Chaque jour, elle abandonne plus de tâches à une Louise reconnaissante. La nounou est comme ces silhouettes qui, au théâtre, déplacent dans le noir le décor sur la scène. Elles soulèvent un divan, poussent d'une main une colonne en carton, un pan de mur. Louise s'agite en coulisses, discrète et puissante. C'est elle qui tient les fils transparents sans lesquels la magie ne peut pas advenir. Elle est Vishnou, divinité nourricière, jalouse et protectrice. Elle est la louve à la mamelle de qui ils viennent boire, la source infaillible de leur bonheur familial.

On la regarde et on ne la voit pas. Elle est une présence intime mais jamais familière. Elle arrive de plus en plus tôt, part de plus en plus tard. Un matin, en sortant de la douche, Myriam se retrouve, nue, devant la nounou qui n'a même pas cligné des yeux. « Qu'a-t-elle à faire de mon corps ? se rassure Myriam. Elle n'a pas ce genre de pudeur. »

Louise encourage le couple à sortir. « Il faut profiter de votre jeunesse », répète-t-elle mécaniquement. Myriam écoute ses conseils. Elle trouve Louise avisée et bienveillante. Un soir, Paul et Myriam se rendent à une fête, chez un musicien que Paul vient de rencontrer. La soirée a lieu dans un appartement sous les toits, dans le sixième arrondissement. Le salon est minuscule, bas de plafond, et les gens sont serrés les uns contre les autres. Une ambiance très joyeuse règne dans ce cagibi où, bientôt, tout le monde se met à danser. La femme du musicien, une grande blonde qui porte un rouge à lèvres fuchsia, fait tourner des joints et verse des shots de vodka dans des verres glacés. Myriam parle à des gens qu'elle ne connaît pas mais avec qui elle rit, à gorge déployée. Elle passe une heure dans la cuisine assise sur le plan de travail. À 3 heures du matin, les invités crient famine et la belle blonde prépare une omelette aux champignons qu'ils mangent penchés sur la poêle, en faisant claquer leurs fourchettes.

Quand ils rentrent chez eux, vers 4 heures du matin, Louise s'est assoupie sur le canapé, les jambes repliées contre sa poitrine, les mains jointes. Paul étale délicatement une couverture sur elle. « Ne la réveillons pas. Elle a l'air si paisible. » Et Louise commence à dormir là, une ou deux fois par semaine. Ce n'est jamais clairement dit, ils n'en parlent pas, mais Louise construit patiemment son nid au milieu de l'appartement.

Paul s'inquiète parfois de ces horaires qui s'allongent. « Je ne voudrais pas qu'elle nous accuse un jour de l'exploiter. » Myriam lui promet de reprendre les choses en main. Elle qui est si rigide, si droite, s'en veut de ne pas l'avoir fait avant. Elle va parler à Louise, remettre les choses au clair. Elle est à la fois gênée et secrètement ravie que Louise s'astreigne à de telles tâches ménagères, qu'elle accomplisse ce qu'elle ne lui a jamais demandé. Myriam sans cesse se confond en excuses. Quand elle rentre tard, elle dit : « Pardon d'abuser de votre gentillesse. » Et Louise, toujours, répond : « Mais je suis là pour ça. N'ayez pas d'inquiétude. »

Myriam lui fait souvent des cadeaux. Des boucles d'oreilles qu'elle achète dans une boutique bon marché, à la sortie du métro. Un cake à l'orange, seule gourmandise qu'elle connaît à Louise. Elle lui donne des affaires qu'elle ne met plus, elle qui a pourtant longtemps pensé qu'il y avait là quelque chose d'humiliant. Myriam fait tout pour ne pas blesser Louise, pour ne pas susciter sa jalousie ou sa peine. Quand elle fait les magasins, pour elle ou pour ses enfants, elle cache les nouveaux vêtements dans un vieux sac en tissu et ne les déballe qu'une fois Louise partie. Paul la félicite de faire preuve d'autant de délicatesse.

Dans l'entourage de Paul et de Myriam, tout le monde finit par connaître Louise. Certains l'ont croisée dans le quartier ou dans l'appartement. D'autres ont seulement entendu parler des prouesses de cette nounou irréelle, qui a jailli d'un livre pour enfants.

Les « dîners de Louise » deviennent une tradition, un rendez-vous couru par tous les amis de Myriam et de Paul. Louise est au courant des goûts de chacun. Elle sait qu'Emma cache son anorexie derrière une savante idéologie végétarienne. Que Patrick, le frère de Paul, est un amateur de viande et de champignons. Les dîners ont en général lieu le vendredi. Louise cuisine tout l'après-midi pendant que les enfants jouent à ses pieds. Elle range l'appartement, confectionne un bouquet de fleurs et prépare une jolie table. Elle a traversé Paris pour acheter quelques mètres de tissu dans lequel elle a cousu une nappe. Quand le couvert est mis, que la sauce est réduite et le vin carafé, elle se glisse hors de l'appartement. Il lui arrive de croiser des invités, dans le hall ou près de la bouche de métro. Elle répond timidement à leurs félicitations et à leurs sourires entendus, une main sur le ventre, la salive aux lèvres.

Un soir, Paul insiste pour qu'elle reste. Ce n'est pas un jour comme les autres. « Il y a tant de choses à fêter ! » Pascal a confié à Myriam une très grosse affaire, qu'elle est en bonne voie de gagner grâce à une défense astucieuse et pugnace. Paul aussi est joyeux. Il y a une semaine, il était au studio, en train de travailler sur ses propres sons, quand un chanteur connu est entré dans la cabine. Ils ont parlé des heures, de leurs goûts communs, des arrangements qu'ils imaginaient, du matériel incroyable qu'ils pourraient se procurer, et le chanteur a fini par proposer à Paul de réaliser son prochain disque. « Il y a des années comme ça, où tout nous sourit. Il faut savoir en profiter », décide Paul. Il saisit les épaules de Louise et la regarde en souriant. « Que vous le vouliez ou non, ce soir, vous dînez avec nous. »

Louise se réfugie dans la chambre des enfants. Elle reste longtemps allongée contre Mila. Elle caresse ses tempes et ses cheveux. Elle observe, dans la lumière bleue de la veilleuse, le visage abandonné d'Adam. Elle ne se résout pas à sortir. Elle entend la porte d'entrée s'ouvrir et des rires dans le couloir. Une bouteille de champagne qu'on débouche, un fauteuil qu'on pousse contre le mur. Dans la salle de bains, Louise rajuste son chignon et étale une couche de fard mauve sur ses paupières. Myriam, elle, ne se maquille jamais. Ce soir, elle porte un jean droit et une chemise de Paul, dont elle a retroussé les manches.

« Vous ne vous connaissez pas, je crois ? Pascal, je te présente notre Louise. Tu sais que tout le monde nous l'envie ! » Myriam entoure les épaules de Louise. Elle sourit et se détourne, un peu gênée par la familiarité de son geste.

« Louise, je vous présente Pascal, mon patron.

— Ton patron ? Arrête ! On travaille ensemble. Nous sommes collègues. » Pascal rit bruyamment en tendant la main à Louise.

Louise s'est assise dans un coin du canapé, ses longs doigts vernis s'agrippant à sa coupe de champagne. Elle est nerveuse comme une étrangère, une exilée qui ne comprend pas la langue parlée autour d'elle. De part et d'autre de la table basse, elle échange avec les autres invités des sourires gênés et bienveillants. On lève son verre, au talent de Myriam, au chanteur de Paul dont quelqu'un fredonne même une mélodie. Ils parlent de leurs métiers, de terrorisme, d'immobilier. Patrick raconte ses projets de vacances au Sri Lanka.

Emma, qui s'est retrouvée à côté de Louise, lui parle de ses enfants. De ça, Louise peut parler. Emma a des inquiétudes qu'elle expose à une Louise rassurante. « J'ai vu ça souvent, ne vous inquiétez pas », répète la nounou. Emma, qui a tant d'angoisses et que personne n'écoute, envie Myriam de pouvoir compter sur cette nounou à tête de sphinx. Emma est une femme douce que seules trahissent ses mains toujours tordues. Elle est souriante mais envieuse. À la fois coquette et atrocement complexée.

Emma habite dans le vingtième arrondissement, dans une partie du quartier où les squats sont transformés en crèche bio. Elle vit dans une petite maison, décorée avec un tel goût qu'on s'y sent presque mal à l'aise. On a l'impression que son salon, débordant de bibelots et de coussins, est plus destiné à susciter la jalousie qu'à ce qu'on s'y prélasse.

« L'école du quartier, c'est la catastrophe. Les enfants crachent par terre. Quand on passe devant, on les entend se traiter de "putes" et de "pédés". Alors, je ne dis pas que dans leur école privée personne ne dit "putain". Mais ils le disent différemment, vous ne croyez pas ? Au moins ils savent qu'ils ne doivent le dire qu'entre eux. Ils savent que c'est mal. »

Emma a même entendu dire qu'à l'école publique, celle qui est dans sa rue, des parents déposent leurs enfants, en pyjama, avec plus d'une demi-heure de retard. Qu'une mère voilée a refusé de serrer la main du directeur.

« C'est triste à dire mais Odin aurait été le seul Blanc de sa classe. Je sais qu'on ne devrait pas renoncer, mais je me vois mal gérer le jour où il rentrera à la maison en invoquant Dieu et en parlant l'arabe. » Myriam lui sourit. « Tu vois ce que je veux dire, non ? »

Ils se lèvent en riant pour passer à table. Paul assoit Emma à côté de lui. Louise se précipite dans la cuisine et elle est accueillie par des bravos en entrant dans le salon, son plat à la main. « Elle rougit », s'amuse Paul, d'une voix trop aiguë. Pendant quelques minutes, Louise est au centre de toute l'attention. « Comment a-t-elle fait cette sauce ? » « Quelle bonne idée le gingembre ! » Les invités vantent ses prouesses et Paul se met à parler d'elle — « notre nounou » — comme on parle des enfants et des vieillards, en leur présence. Paul sert le vin, et les conversations s'élèvent vite au-dessus de ces nourritures terrestres. Ils parlent de plus en plus fort. Ils écrasent leurs cigarettes dans leurs assiettes et les mégots flottent dans un reste de sauce. Personne n'a remarqué que Louise s'est retirée dans la cuisine qu'elle nettoie avec application.

Myriam lance à Paul un regard agacé. Elle fait semblant de rire à ses blagues, mais il l'énerve quand il est soûl. Il devient grivois, lourd, il perd le sens des réalités. Dès qu'il a trop bu, il lance des invitations à des gens odieux, fait des promesses qu'il ne peut pas tenir. Il dit des mensonges. Mais il n'a pas l'air de remarquer l'agacement de sa femme. Il ouvre une autre bouteille de vin et tape sur le bord de la table. « Cette année, nous allons nous faire plaisir et emmener la nounou en vacances ! Il faut profiter un peu de la vie, non ? » Louise, un tas d'assiettes dans les mains, sourit.

Le lendemain matin, Paul se réveille dans sa chemise froissée, les lèvres encore tachées par le vin rouge. Sous la douche, la soirée lui revient en mémoire, par bribes. Il se souvient de sa proposition et du regard noir de sa femme. Il se sent idiot et fatigué d'avance. Voilà une erreur qu'il faudra réparer. Ou faire comme s'il n'avait rien dit, oublier, laisser passer le temps. Il sait que Myriam va se moquer de lui, de ses promesses d'ivrogne. Elle va lui reprocher son inconséquence financière et sa légèreté à l'égard de Louise. « À cause de toi, elle sera déçue mais comme elle est gentille, elle n'osera même pas le dire. » Myriam va lui mettre sous le nez leurs factures, le rappeler à la réalité. Elle va conclure : « C'est toujours comme ça quand tu bois. »

Mais Myriam n'a pas l'air fâchée. Couchée sur le canapé, Adam dans ses bras, elle lui lance un sourire d'une douceur étourdissante. Elle porte un pyjama d'homme, trop grand pour elle. Paul s'assoit à côté d'elle, ronronne dans son cou dont il aime l'odeur de bruyère. « C'est vrai ce que tu as dit hier ? Tu crois qu'on pourrait emmener Louise avec nous cet été ? demande-t-elle. Tu te rends compte ! Pour une fois, on aurait de vraies vacances. Et Louise sera tellement contente : qu'est-ce qu'elle ferait de mieux de toute façon ? »

Il fait si chaud que Louise a laissé la fenêtre de la chambre d'hôtel entrebâillée. Les cris des ivrognes et les crissements de freins des voitures ne réveillent pas Adam et Mila qui ronflent, la bouche ouverte, une jambe hors de leur lit. Ils ne passent qu'une nuit à Athènes et Louise partage une chambre minuscule avec les enfants, pour faire des économies. Ils ont ri toute la soirée. Ils se sont couchés tard. Adam était heureux, il a dansé dans la rue, sur les pavés d'Athènes, et des vieux ont tapé dans leurs mains, séduits par son ballet. Louise n'a pas aimé la ville dans laquelle ils ont marché tout l'après-midi malgré le soleil brûlant et les plaintes des petits. Elle ne pense qu'à demain, à leur voyage vers les îles dont Myriam a raconté aux enfants les légendes et les mythes.

Myriam ne raconte pas bien les histoires. Elle a une façon un peu agaçante d'articuler les mots compliqués et finit toutes ses phrases par « Tu vois ? », « Tu comprends ? ». Mais Louise a écouté, comme une enfant studieuse, l'histoire de Zeus et de la déesse de la guerre. Comme Mila, elle aime Égée qui a donné son bleu à la mer, la mer sur laquelle elle va prendre le bateau pour la première fois.

Le matin, elle doit tirer Mila du lit. La petite dort encore quand la nounou la déshabille. Dans le taxi qui les mène au port du Pirée, Louise essaie de se souvenir des dieux antiques mais il ne lui reste rien. Elle ne sait plus. Elle aurait dû noter sur son carnet fleuri les noms de ces héros. Elle y aurait repensé ensuite, seule. À l'entrée du port s'est formé un énorme embouteillage et des policiers tentent de régler la circulation. Il fait déjà très chaud et Adam, assis sur les genoux de Louise, est couvert de sueur. D'immenses pancartes lumineuses indiquent les quais où sont amarrés les bateaux en partance pour les îles, mais Paul n'y comprend rien. Il se met en colère, il s'agite. Le chauffeur fait demi-tour, il hausse les épaules d'un air résigné. Il ne parle pas l'anglais. Paul le paie. Ils descendent de la voiture et courent vers leur embarcadère, en traînant les valises et la poussette d'Adam. L'équipage s'apprête à lever le pont quand il voit la famille, échevelée, perdue, faire de grands signes. Ils ont eu de la chance.

À peine installés, les enfants s'endorment. Adam, dans les bras de sa mère, et Mila, la tête posée sur les genoux de Paul. Louise veut voir la mer et le contour des îles. Elle monte sur le pont. Sur un banc, une femme est allongée sur le dos. Elle porte un maillot deux pièces : une fine culotte et un bandeau, rose, qui cache à peine ses seins. Elle a des cheveux blond platine et très secs mais ce qui frappe Louise, c'est sa peau. Une peau violacée, couverte de grosses taches brunes. Par endroits, à l'intérieur des cuisses, sur les joues, à la naissance des seins, son épiderme est cloqué, à vif, comme brûlé. Elle est immobile, telle une écorchée dont le cadavre serait offert en spectacle à la foule.

Louise a le mal de mer. Elle prend de grandes inspirations. Elle ferme les yeux puis les ouvre, incapable de maîtriser le vertige. Elle ne peut pas bouger. Elle s'est assise sur un banc, dos au pont, loin du bord. Elle voudrait regarder la mer, se souvenir de ça, de ces îles aux rives blanches que les touristes montrent du doigt. Elle voudrait graver dans sa mémoire le profil des voiliers qui ont jeté l'ancre et des fines silhouettes qui plongent dans l'eau. Elle voudrait mais son estomac se soulève.

Le soleil est de plus en plus brûlant et ils sont nombreux, à présent, à observer la femme couchée sur le banc. Elle a mis un cache sur ses yeux et le vent l'empêche sans doute d'entendre les rires étouffés, les commentaires, les murmures. Louise ne peut détacher son regard de ce corps décharné, dégoulinant de sueur. Cette femme consumée par le soleil, comme un morceau de viande jeté sur des braises.

Paul a loué deux chambres dans une charmante pension de famille, située sur les hauteurs de l'île, au-dessus d'une plage très fréquentée par les enfants. Le soleil se couche et une lumière rose enveloppe la baie. Ils marchent vers Apollonia, la capitale. Ils empruntent des rues au bord desquelles poussent des cactus et des figuiers. Au bout d'une falaise, un monastère accueille des touristes en maillot de bain. Louise est tout entière pénétrée par la beauté des lieux, par le calme des rues étroites, des petites places sur lesquelles dorment des chats. Elle s'assoit sur un muret, les pieds dans le vide, et elle regarde une vieille femme balayer la cour en face de chez elle.

Le soleil s'est enfoncé dans la mer, mais il ne fait pas sombre. La lumière a juste pris des teintes pastel et on voit encore les détails du paysage. Le contour d'une cloche sur le toit d'une église. Le profil aquilin d'un buste en pierre. La mer et le rivage broussailleux semblent se détendre, plonger dans une torpeur langoureuse, s'offrir à la nuit, tout doucement, en se faisant désirer.

Après avoir couché les enfants, Louise ne peut pas dormir. Elle s'installe sur la terrasse qui prolonge sa chambre et d'où elle peut contempler la baie arrondie. Le soir le vent s'est mis à souffler, un vent marin, dans lequel elle devine le goût du sel et des utopies. Elle s'est endormie là, sur un transat, avec un châle pour maigre couverture. L'aube froide la réveille et elle manque de pousser un cri devant le spectacle que le jour lui offre. Une beauté pure, simple, évidente. Une beauté à la portée de tous les cœurs.

Les enfants aussi se réveillent, enthousiastes. Ils n'ont que la mer à la bouche. Adam veut se rouler dans le sable. Mila veut voir les poissons. À peine leur petit déjeuner terminé, ils descendent à la plage. Louise porte une robe ample orange, une espèce de djellaba qui fait sourire Myriam. C'est Mme Rouvier qui la lui avait donnée, il y a des années de ça, après avoir précisé : « Oh, vous savez, je l'ai beaucoup mise. »

Les enfants sont prêts. Elle les a badigeonnés de crème solaire et ils se lancent à l'assaut du sable. Louise s'assoit contre un muret en pierre. À l'ombre d'un pin, les genoux repliés, elle observe le scintillement du soleil sur la mer. Elle n'a jamais rien vu d'aussi beau.

Myriam s'est allongée sur le ventre et elle lit un roman. Paul, qui a couru sept kilomètres avant le petit déjeuner, somnole. Louise fait des châteaux de sable. Elle sculpte une énorme tortue qu'Adam ne cesse de détruire et qu'elle reconstruit patiemment. Mila, accablée par la chaleur, la tire par le bras. « Viens, Louise, viens dans l'eau. » La nounou résiste. Elle lui dit d'attendre. De rester assise. « Aide-moi à terminer ma tortue, tu veux ? »

Elle montre à l'enfant des coquillages qu'elle a ramassés et qu'elle dispose délicatement sur la carapace de sa tortue géante.

Le pin ne suffit plus à leur faire de l'ombre, et la chaleur est de plus en plus écrasante. Louise est trempée de sueur et elle n'a plus d'arguments à opposer à l'enfant qui la supplie à présent. Mila lui prend la main et Louise refuse de se mettre debout. Elle attrape le poignet de la petite fille et la repousse si brutalement que Mila tombe. Louise crie : « Mais tu vas me lâcher, oui ! »

Paul ouvre les yeux. Myriam se précipite vers Mila, qui pleure et qu'elle console. Ils lancent à Louise des regards furieux et déçus. La nounou a reculé, honteuse. Ils s'apprêtent à lui demander des explications quand elle murmure, lentement : « Je ne vous l'avais pas dit mais je ne sais pas nager. »

Paul et Myriam restent silencieux. Ils font signe à Mila, qui s'est mise à ricaner, de se taire. Mila se moque : « Louise est un bébé. Elle ne sait même pas nager. » Paul est gêné et cette gêne le met en colère. Il en veut à Louise d'avoir traîné jusqu'ici son indigence, ses fragilités. De leur empoisonner la journée avec son visage de martyre. Il emmène les enfants nager et Myriam replonge le nez dans son livre.

La matinée est gâchée par la mélancolie de Louise et à table, sur la terrasse de la petite taverne, personne ne parle. Ils n'ont pas fini de manger quand, brusquement, Paul se lève et prend Adam dans ses bras. Il marche jusqu'à la boutique de la plage. Il revient en sautillant à cause du sable qui lui brûle la plante des pieds. Il tient à la main un paquet qu'il agite devant Louise et

Myriam. « Voilà », dit-il. Les deux femmes ne répondent rien et Louise tend docilement les bras quand Paul lui enfile un brassard au-dessus du coude. « Vous êtes tellement menue que même des brassards pour enfants vous vont ! »

Toute la semaine, Paul emmène Louise nager. Ils se lèvent tôt tous les deux, et pendant que Myriam et les enfants restent au bord de la petite piscine de la pension, Louise et Paul descendent sur la plage encore déserte. Dès qu'ils arrivent sur le sable mouillé, ils se tiennent par la main et marchent dans l'eau longtemps, avec l'horizon pour but. Ils avancent jusqu'à ce que leurs pieds se détachent doucement du sable et que leurs corps se mettent à flotter. À cet instant, Louise ressent invariablement une panique qu'elle est incapable de cacher. Elle pousse un petit cri qui indique à Paul qu'il doit serrer sa main encore plus fort.

Au début, il est gêné de toucher la peau de Louise. Quand il lui apprend à faire la planche, il pose une main sous sa nuque et l'autre sous ses fesses. Une pensée idiote, fugace, lui vient et il en rit intérieurement: « Louise a des fesses. » Louise a un corps qui tremble sous les mains de Paul. Un corps qu'il n'avait ni vu ni même soupçonné, lui qui rangeait Louise dans le monde des enfants ou dans celui des employés. Lui qui, sans doute, ne la voyait pas. Pourtant, Louise n'est pas désagréable à regarder. Abandonnée aux paumes de Paul, la nou-nou ressemble à une petite poupée. Quelques mèches blondes s'échappent du bonnet de bain que Myriam lui a acheté. Son léger hâle a fait ressortir de minuscules taches de rousseur sur ses joues et sur son nez. Pour la première fois, Paul remarque un léger duvet blond sur son visage, comme celui qui recouvre les poussins à peine nés. Mais il y a en elle quelque chose de prude et d'enfantin, une réserve, qui empêche Paul de nourrir pour elle un sentiment aussi franc que le désir.

Louise regarde ses pieds, qui s'enfoncent dans le sable et que l'eau vient lécher. Dans le bateau, Myriam leur a raconté que Sifnos devait sa prospérité passée aux mines d'or et d'argent que renferme son sous-sol. Et Louise se persuade que les paillettes qu'elle aperçoit à travers l'eau, sur les rochers, sont des éclats de ces métaux précieux. L'eau fraîche couvre ses cuisses. C'est son sexe main-tenant qui est immergé. La mer est calme, translucide. Pas une vague ne vient surprendre Louise et éclabous-ser sa poitrine. Des bébés sont assis au bord de l'eau, sous l'œil serein de leurs parents. Quand l'eau arrive à sa taille, Louise ne peut plus respirer. Elle regarde, le ciel éclatant, irréel. Elle tâte, sur ses bras maigres, les brassards jaune et bleu sur lesquels sont dessinés une langouste et un triton. Elle fixe Paul, suppliante. « Vous ne risquez rien, jure Paul. Tant que vous avez pied, vous ne risquez rien. » Mais Louise est comme pétrifiée. Elle sent qu'elle va basculer. Qu'elle va être happée par les profondeurs, la tête maintenue sous l'eau, les jambes battant dans le vide, jusqu'à l'épuisement.

Elle se souvient qu'enfant un de ses camarades de

classe était tombé dans un étang, à la sortie de leur village. C'était une petite étendue d'eau boueuse, dont l'odeur en été l'écœurait. Les enfants venaient y jouer, malgré l'interdiction de leurs parents, malgré les moustiques qu'attirait l'eau stagnante. Là, plongée dans le bleu de la mer Égée, Louise repense à cette eau noire et puante, et à l'enfant retrouvé le visage enfoui dans la fange. Devant elle, Mila bat des pieds. Elle flotte.

Ils sont ivres et ils grimpent les escaliers de pierre qui mènent sur la terrasse contiguë à la chambre des enfants. Ils rient et Louise s'accroche parfois au bras de Paul pour gravir une marche plus haute que les autres. Elle reprend son souffle, assise sous le bougainvillier vermeil, et elle regarde, en contrebas, la plage où de jeunes couples dansent en buvant des cocktails. Le bar organise une fête sur le sable. « *Full moon party* ». Paul traduit pour elle. Une fête pour la lune, pleine et rousse, dont ils ont toute la soirée commenté la beauté. Elle n'avait jamais vu une lune pareille, si belle qu'elle vaille la peine d'être décrochée. Une lune pas froide et grise, comme les lunes de son enfance.

Sur la terrasse du restaurant en hauteur, ils ont contemplé la baie de Sifnos et le coucher de soleil couleur de lave. Paul lui a fait remarquer les nuages taillés comme de la dentelle. Les touristes ont pris des photos et quand Louise a voulu se lever elle aussi en tendant son téléphone portable, Paul lui a délicatement appuyé la main sur le bras pour la faire rasseoir. « Ça ne donnera rien. Mieux vaut garder cette image en vous. »

Pour la première fois, ils dînent tous les trois. C'est la propriétaire de la pension qui a proposé de garder les enfants. Ils ont le même âge que les siens et ils sont devenus inséparables depuis le début du séjour. Myriam et Paul ont été pris de court. Louise, bien sûr, a commencé par refuser. Elle a dit qu'elle ne pouvait pas les laisser seuls, qu'elle devait les coucher. Que c'était son travail. « Ils ont nagé toute la journée, ils n'auront aucun mal à dormir », a dit la propriétaire, dans un mauvais français.

Alors ils ont marché vers le restaurant, un peu gauches, silencieux. À table, ils ont tous bu plus que d'habitude. Myriam et Paul appréhendaient ce dîner. Que pouvaient-ils se dire ? Qu'auraient-ils à se raconter ? Ils se sont convaincus que c'était la bonne chose à faire, que Louise serait contente. « Pour qu'elle sente qu'on valorise son travail, tu comprends ? » Alors ils parlent des enfants, du paysage, de la baignade du lendemain, des progrès de Mila en natation. Ils font la conversation. Louise voudrait raconter. Raconter quelque chose, n'importe quoi, une histoire à elle mais elle n'ose pas. Elle inspire profondément, avance le visage pour dire quelque chose et recule, mutique. Ils boivent et le silence devient paisible, langoureux.

Paul, qui est assis à côté d'elle, passe alors son bras autour de ses épaules. L'ouzo le rend jovial. Il lui serre l'épaule de sa grande main, lui sourit comme à un vieil ami, un copain de toujours. Elle fixe, enchantée, le visage de l'homme. Sa peau hâlée, ses grandes dents blanches, ses cheveux que le vent et le sel ont blondis. Il la secoue un peu comme on le fait à un ami timide ou qui a du chagrin, à quelqu'un dont on souhaite qu'il se détende ou qu'il se reprenne en main. Si elle osait, elle poserait sa main sur la main de Paul, elle la serrerait entre ses doigts maigres. Mais elle n'ose pas.

Elle est fascinée par l'aisance de Paul. Il plaisante avec le serveur qui leur a offert un digestif. En quelques jours, il a appris assez de mots en grec pour faire rire les commerçants ou obtenir une ristourne. Les gens le reconnaissent. Sur la plage, c'est avec lui que veulent jouer les autres enfants et il se plie en riant à leurs désirs. Il les porte sur son dos, il se jette dans l'eau avec eux. Il mange avec un appétit incroyable. Myriam a l'air de s'en agacer mais Louise trouve touchante cette gourmandise qui le pousse à commander toute la carte. « On prend ça aussi. Pour essayer, non ? » Et il saisit avec les doigts des morceaux de viande, de poivron ou de fromage qu'il engloutit avec une joie innocente.

Une fois rentrés sur la terrasse de l'hôtel, ils pouffent tous les trois dans leurs poings et Louise met un doigt sur ses lèvres. Il ne faut pas réveiller les petits. Cet éclair de responsabilité leur apparaît tout à coup ridicule. Ils jouent aux enfants, eux, que les considérations enfantines ont tenus toute la journée tendus vers le même objectif. Ce soir, une légèreté inhabituelle souffle sur eux. L'ivresse les soulage des angoisses accumulées, des tensions que leur progéniture insinue entre eux, mari et femme, mère et nounou.

Louise sait combien cet instant est fugace. Elle voit bien que Paul regarde avec gourmandise l'épaule de sa femme. Dans sa robe bleu clair, la peau de Myriam paraît encore plus dorée. Ils se mettent à danser, tanguent d'un pied sur l'autre. Ils sont maladroits, presque gênés, et Myriam ricane comme si cela faisait très longtemps qu'on ne l'avait pas tenue ainsi par la taille. Comme si elle se sentait ridicule d'être ainsi désirée. Myriam pose sa joue sur l'épaule de son mari. Louise sait qu'ils vont s'arrêter, dire au revoir, faire semblant d'avoir sommeil. Elle voudrait les retenir, s'accrocher à eux, gratter de ses ongles le sol en pierre. Elle voudrait les mettre sous cloche, comme deux danseurs figés et souriants, collés au socle d'une boîte à musique. Elle se dit qu'elle pourrait les contempler des heures sans se lasser jamais. Qu'elle se contenterait de les regarder vivre, d'agir dans l'ombre pour que tout soit parfait, que la mécanique jamais ne s'enraie. Elle a l'intime conviction à présent, la conviction brûlante et douloureuse que son bonheur leur appartient. Qu'elle est à eux et qu'ils sont à elle.

Paul glousse. Il a murmuré quelque chose, les lèvres enfouies dans la nuque de sa femme. Quelque chose que Louise n'a pas entendu. Il tient fermement la main de Myriam et, comme deux enfants sages, ils souhaitent bonne nuit à Louise. Elle les regarde monter l'escalier de pierre qui mène à leur chambre. La ligne bleue de leurs deux corps devient floue, s'estompe, la porte claque. Les rideaux sont tirés. Louise s'enfonce dans une rêverie obscène. Elle entend, sans le vouloir, en s'y refusant, malgré elle. Elle entend les miaulements de Myriam, ses gémissements de poupée. Elle entend le froissement des draps et la tête de lit qui claque contre le mur.

Louise ouvre les yeux. Adam est en train de pleurer.

Rose Grinberg

Mme Grinberg décrira au moins une centaine de fois ce petit trajet en ascenseur. Cinq étages après une légère attente au rez-de-chaussée. Un trajet de moins de deux minutes qui est devenu le moment le plus poignant de son existence. Le moment fatidique. Elle aurait pu, ne cessera-t-elle de se répéter, changer le cours des choses. Si elle avait fait plus attention à l'haleine de Louise. Si elle n'avait pas fermé ses fenêtres et ses volets pour la sieste. Elle en pleurera au téléphone et ses filles ne réussiront pas à la rassurer. Les policiers s'agaceront qu'elle se donne tant d'importance et ses larmes redoubleront quand ils diront sèchement : « De toute façon, vous n'auriez rien pu faire. » Elle racontera tout aux journalistes qui suivront le procès. Elle en parlera à l'avocate de l'accusée, qu'elle trouvera hautaine et négligée, et le répétera à la barre, quand on l'appellera à témoigner.

Louise, dira-t-elle à chaque fois, n'était pas comme d'habitude. Elle, si souriante, si affable, se tenait immobile devant la porte vitrée. Adam, assis sur une marche, poussait des cris stridents et Mila sautait en bousculant son frère. Louise ne bougeait pas. Seule sa lèvre inférieure était secouée d'un léger tremblement. Ses mains étaient jointes et elle baissait les yeux. Pour une fois, le bruit des enfants ne semblait pas l'atteindre. Elle, si soucieuse des voisins et de la bonne tenue, n'a pas adressé la parole aux petits. Elle avait l'air de ne pas les entendre.

Mme Grinberg appréciait beaucoup Louise. Elle avait même de l'admiration pour cette femme élégante qui prenait un soin jaloux des enfants. Mila, la petite fille, était toujours coiffée de nattes bien serrées ou d'un chignon retenu par un nœud. Adam semblait adorer Louise. « Maintenant qu'elle a fait ça, je ne devrais peut-être pas le dire. Mais à ce moment-là je me disais qu'ils avaient de la chance. »

L'ascenseur est arrivé au rez-de-chaussée et Louise a attrapé Adam par le col. Elle l'a traîné dans la cabine et Mila a suivi en chantonnant. Mme Grinberg a hésité à monter avec eux. Pendant quelques secondes elle s'est demandé si elle n'allait pas faire semblant de retourner dans le hall pour consulter sa boîte aux lettres. La mine blafarde de Louise la mettait mal à l'aise. Elle craignait que les cinq étages ne lui paraissent interminables. Mais Louise a tenu la porte à la voisine qui s'est calée contre la paroi, son sac de courses entre les jambes.

« Est-ce qu'elle paraissait ivre ? »

Mme Grinberg est formelle. Louise avait l'air normale. Elle n'aurait pas pu la laisser monter avec les enfants si seulement une seconde elle avait pensé... L'avocate aux cheveux gras s'est moquée d'elle. Elle a rappelé à la Cour que Rose souffrait de vertiges et qu'elle avait des problèmes de vue. L'ancien professeur de musique, qui allait bientôt fêter ses soixante-cinq ans, n'y voyait plus grand-chose. D'ailleurs, elle vit dans le noir, la taupe. La lumière crue lui donne de terribles migraines. C'est à cause de cela que Rose a fermé les volets. À cause de cela qu'elle n'a rien entendu.

Cette avocate, elle a failli l'insulter en plein tribunal. Elle crevait d'envie de la faire taire, de lui briser la mâchoire. Elle n'avait pas honte? Elle n'avait donc aucune décence? Dès les premiers jours du procès, l'avocate a parlé de Myriam comme d'une « mère absente », d'un « employeur abusif ». Elle l'a décrite comme une femme aveuglée d'ambition, égoïste et indifférente au point d'avoir poussé la pauvre Louise à bout. Un journaliste, présent sur le banc, a expliqué à Mme Grinberg qu'il était inutile de s'énerver et que ce n'était rien d'autre qu'une « tactique de défense ». Mais Rose trouvait ça dégueulasse, un point c'est tout.

Personne n'en parle dans l'immeuble mais Mme Grinberg sait que tout le monde y pense. Que la nuit, à chaque étage, des yeux restent ouverts dans le noir. Que des cœurs s'emballent, et que des larmes coulent. Elle sait que les corps se retournent et se tordent, sans trouver le sommeil. Le couple du troisième a déménagé. Les Massé, bien sûr, ne sont jamais revenus. Rose est restée malgré les fantômes et le souvenir entêtant de ce cri.

Ce jour-là, après sa sieste, elle a ouvert les volets. Et c'est là qu'elle l'a entendu. La plupart des gens vivent sans jamais avoir entendu des cris pareils. Ce sont des cris qu'on pousse à la guerre, dans les tranchées, dans d'autres mondes, sur d'autres continents. Ce ne sont pas des cris d'ici. Ça a duré au moins dix minutes, ce cri, poussé presque d'une traite, sans souffle et sans mots. Ce cri qui devenait rauque, qui s'emplissait de sang, de morve, de rage. « Un docteur », c'est tout ce qu'elle a fini par articuler. Elle n'a pas appelé à l'aide, elle n'a pas dit « Au secours » mais elle a répété, dans les rares moments où elle redevenait consciente, « Un docteur ».

Un mois avant le drame, Mme Grinberg avait rencontré Louise dans la rue. La nounou avait l'air soucieuse et elle avait fini par parler de ses problèmes d'argent. De son propriétaire qui la harcelait, des dettes qu'elle avait accumulées, de son compte en banque toujours dans le rouge. Elle avait parlé comme un ballon se vide de son air, de plus en plus vite.

Mme Grinberg avait fait semblant de ne pas comprendre. Elle avait baissé le menton, elle avait dit « les temps sont durs pour tout le monde ». Et puis Louise lui avait attrapé le bras. « Je ne mendie pas. Je peux travailler, le soir ou tôt le matin. Quand les enfants dorment. Je peux faire le ménage, du repassage, tout ce que vous voudrez. » Si elle ne lui avait pas serré si fort le poignet, si elle n'avait pas planté ses yeux noirs dans les siens, comme une injure ou une menace, Rose Grinberg aurait peut-être accepté. Et, quoi qu'en disent les policiers, elle aurait tout changé.

L'avion a eu beaucoup de retard et ils atterrissent à Paris en début de soirée. Louise fait aux enfants des adieux solennels. Elle les embrasse longtemps, les tient serrés dans ses bras. « À lundi, oui, à lundi. Appelez-moi si vous avez besoin de quoi que ce soit », dit-elle à Myriam et à Paul qui s'engouffrent dans l'ascenseur pour rejoindre le parking de l'aéroport.

Louise marche vers le RER. La rame est déserte. Elle s'assoit contre une vitre et elle maudit le paysage, les quais où traînent des bandes de jeunes, les immeubles pelés, les balcons, le visage hostile des agents de sécurité. Elle ferme les yeux et convoque des souvenirs de plages grecques, de couchers de soleil, de dîners face à la mer. Elle invoque ces souvenirs comme les mystiques en appellent aux miracles. Quand elle ouvre les portes de son studio, ses mains se mettent à trembler. Elle a envie de déchirer la housse du canapé, de donner un coup de poing dans la vitre. Un magma informe, une douleur lui brûlent les entrailles et elle a du mal à se retenir de hurler.

Le samedi, elle reste au lit jusqu'à 10 heures. Cou-chée sur le canapé, les mains croisées sur sa poitrine,

Louise regarde la poussière qui s'est accumulée sur la suspension verte. Elle n'aurait jamais choisi quelque chose d'aussi laid. Elle a loué l'appartement meublé et n'a rien changé à la décoration. Il fallait trouver un logement après la mort de Jacques, son mari, et son expulsion de la maison. Après des semaines d'errance, il lui fallait un nid. Ce studio, à Créteil, elle l'a trouvé grâce à une infirmière d'Henri-Mondor, qui s'était prise d'affection pour elle. La jeune femme lui a assuré que le propriétaire demandait peu de garanties et qu'il acceptait les paiements en liquide

Louise se lève. Elle pousse une chaise, la place juste en dessous de la suspension et attrape un torchon. Elle se met à astiquer la lampe et l'agrippe avec tant de force qu'elle manque de l'arracher du plafond. Elle est sur la pointe des pieds et elle secoue la poussière qui lui tombe dans les cheveux, en gros flocons gris. À 11 heures, elle a tout nettoyé. Elle a refait les vitres, l'intérieur et l'extérieur, et elle a même passé une éponge savonneuse sur les volets. Ses chaussures sont disposées en ligne le long du mur, brillantes et ridicules.

Ils vont peut-être l'appeler. Le samedi, elle le sait, ils déjeunent parfois au restaurant. C'est Mila qui le lui a raconté. Ils se rendent dans une brasserie où la petite fille a le droit de commander tout ce qu'elle veut et où Adam goûte sur le bout d'une cuillère un soupçon de moutarde ou de citron, sous l'œil attendri de ses parents. Louise aimerait ça. Dans une brasserie bondée, cernée par le bruit des assiettes qui s'entrechoquent et le hurlement des serveurs, elle aurait moins peur du silence. Elle s'assiérait entre Mila et son frère et elle rajusterait la grande serviette blanche sur les genoux de la petite fille. Elle donnerait à manger à Adam, cuillère après cuillère. Elle écouterait Paul et Myriam parler, tout irait trop vite, elle se sentirait bien.

Elle a mis sa robe bleue, celle qui lui arrive juste au-dessus des chevilles et qui se ferme, sur le devant, par une rangée de petites perles bleues. Elle voulait être prête, au cas où ils auraient besoin d'elle. Au cas où il faudrait les rejoindre quelque part, à toute vitesse, eux qui sans doute ont oublié à quel point elle vit loin et le temps qu'elle met, chaque jour, à revenir vers eux. Assise dans sa cuisine, elle pianote du bout des ongles sur la table en formica.

L'heure du déjeuner passe. Les nuages ont glissé devant les vitres propres, le ciel s'est assombri. Le vent a soufflé très fort dans les platanes et la pluie se met à tomber. Louise s'agite. Ils ne l'appellent pas.

Il est trop tard maintenant pour sortir. Elle pourrait aller acheter du pain ou respirer un peu d'air. Elle pourrait juste marcher. Mais elle n'a rien à faire dans ces rues dépeuplées. Le seul café du quartier est un repaire d'ivrognes et à 15 heures à peine, il arrive que des hommes se mettent à se battre contre les grilles du jardin désert. Elle aurait dû se décider avant, s'engouffrer dans le métro, errer dans Paris, au milieu des gens qui font leurs achats pour la rentrée. Elle se serait perdue dans la foule et elle aurait suivi des femmes, belles et pressées, devant les grands magasins. Elle aurait traîné près de la Madeleine, frôlant les petites tables où les gens prennent un café. Elle aurait dit « Pardon » à ceux qui la bousculent.

Paris est à ses yeux une vitrine géante. Elle aime surtout se promener dans le quartier de l'Opéra, descendre la rue Royale et prendre la rue Saint-Honoré. Elle marche lentement, observe les passantes et les vitrines. Elle veut tout. Les bottes en daim, les vestes en peau retournée, les sacs en python, les robes portefeuilles, les caracos surpiqués de dentelles. Elle veut les chemises en soie, les cardigans roses en cachemire, les collants sans marque, les vestes d'officier. Elle s'imagine alors une vie où elle aurait les moyens de tout avoir. Où elle montrerait du doigt à une vendeuse mielleuse les articles qui lui plairaient.

Dimanche arrive, dans la continuité de l'ennui et de l'angoisse. Dimanche sombre et grave au fond du canapé-lit. Elle s'est endormie dans sa robe bleue dont le tissu synthétique, affreusement froissé, l'a fait transpirer. Plusieurs fois dans la nuit, elle a ouvert les yeux, sans savoir si une heure était passée ou un mois. Si elle dormait chez Myriam et Paul ou à côté de Jacques, dans la maison de Bobigny. Elle refermait les yeux et plongeait à nouveau dans un sommeil brutal et délirant.

Louise, décidément, déteste les week-ends. Quand elles vivaient encore ensemble, Stéphanie se plaignait de ne rien faire le dimanche, de n'avoir pas droit aux activités que Louise organisait pour les autres enfants. Dès qu'elle a pu, elle a fui la maison. Le vendredi, elle sortait toute la nuit avec des adolescents du quartier. Elle rentrait au matin, la mine blafarde, les yeux rouges et cernés. Affamée. Elle traversait le petit salon, la tête basse, et elle se jetait sur le frigidaire. Elle mangeait, adossée à la porte du frigo, sans même s'asseoir, enfonçant ses doigts dans les boîtes que Louise avait préparées pour les déjeuners de Jacques. Une fois, elle s'était teint les cheveux en rouge. Elle s'était fait percer le nez. Elle s'est mise à disparaître, des week-ends entiers. Et puis un jour, elle n'est pas revenue. Plus rien ne la retenait dans la maison de Bobigny. Ni le lycée, qu'elle avait quitté depuis longtemps. Ni Louise.

Sa mère, bien sûr, a déclaré sa disparition. « Une fugue, à cet âge, c'est courant. Attendez un peu et elle reviendra. » On ne lui a rien dit de plus. Elle ne l'a pas cherchée. Plus tard, elle a appris par des voisins que Stéphanie était dans le Sud, qu'elle était amoureuse. Qu'elle bougeait beaucoup. Les voisins n'en sont pas revenus que Louise ne demande pas de détails, qu'elle ne pose pas de questions, qu'elle ne leur fasse pas répéter les maigres informations dont ils disposaient.

Stéphanie avait disparu. Toute sa vie, elle avait eu l'impression de gêner. Sa présence dérangeait Jacques, ses rires réveillaient les enfants que Louise gardait. Ses grosses cuisses, son profil lourd s'écrasaient contre le mur, dans le couloir étroit, pour laisser passer les autres. Elle craignait de bloquer le passage, de se faire bousculer, d'encombrer une chaise dont quelqu'un d'autre voudrait. Quand elle parlait, elle s'exprimait mal. Elle riait et on s'en offensait, si innocent que fût son rire. Elle avait fini par développer un don pour l'invisible et logiquement, sans éclats, sans prévenir, comme si elle y était évidemment destinée, elle avait disparu.

Lundi matin, Louise sort de chez elle avant que le jour se lève. Elle marche vers le RER, fait le changement à Auber, attend sur le quai, remonte la rue Lafayette puis prend la rue d'Hauteville. Louise est un soldat. Elle avance, coûte que coûte, comme une bête, comme un chien à qui de méchants enfants auraient brisé les pattes.

Septembre est chaud et lumineux. Le mercredi, après l'école, Louise bouscule les humeurs casanières des enfants et les emmène jouer au parc ou observer les poissons à l'aquarium. Ils ont fait de la barque sur le lac du bois de Boulogne et Louise a raconté à Mila que les algues qui flottaient à la surface étaient en réalité les cheveux d'une sorcière déchue et vengeresse. À la fin du mois, il fait si doux que Louise, joyeuse, décide de les emmener au jardin d'acclimatation.

Devant la station de métro, un vieux Maghrébin propose à Louise de l'aider à descendre les escaliers. Elle le remercie et se saisit à bout de bras de la poussette dans laquelle est encore assis Adam. Le vieil homme la suit. Il lui demande quel âge ont ses enfants. Elle s'apprête à lui dire que ce ne sont pas les siens. Mais il s'est déjà penché à hauteur des petits. « Ils sont très beaux. »

Le métro est ce que les enfants préfèrent. Si Louise ne les retenait pas, ils courraient sur le quai, ils se jetteraient dans la rame en écrasant les pieds des passagers, tout ça pour s'asseoir contre la vitre, la langue pendante, les yeux grands ouverts. Ils se mettent debout et Adam imite sa sœur qui s'accroche à la barre et fait semblant de conduire le train.

Dans le jardin, la nounou court avec eux. Ils rient, elle les gâte, leur offre des glaces et des ballons. Elle les prend en photo, couchés sur un tapis de feuilles mortes, jaune vif ou rouge sang. Mila demande pourquoi certains arbres ont pris cette teinte dorée, lumineuse, tandis que d'autres, les mêmes, plantés à côté ou en face, semblent pourrir, passant directement du vert au marron foncé. Louise est incapable de se l'expliquer. « On demandera à ta maman », dit-elle.

Dans les manèges, ils hurlent de terreur et de joie. Louise a le vertige et elle tient Adam bien fort sur ses genoux quand le train s'enfonce dans les tunnels sombres et dévale des pentes à toute vitesse. Dans le ciel un ballon s'envole, Mickey est devenu un vaisseau spatial.

Ils s'installent sur l'herbe pour pique-niquer et Mila se moque de Louise qui a peur des grands paons, à quelques mètres d'eux. La nounou a emporté une vieille couverture en laine que Myriam avait roulée en boule sous son lit et que Louise a nettoyée et reprisée. Ils s'endorment tous les trois sur l'herbe. Louise se réveille, Adam collé contre elle. Elle a froid, les enfants ont dû tirer la couverture. Elle se retourne et ne voit pas Mila. Elle l'appelle. Elle se met à hurler. Les gens se retournent. On lui demande : « Tout va bien, madame ? Vous avez besoin d'aide ? » Elle ne répond pas. « Mila,

Mila », hurle-t-elle en courant, Adam dans ses bras. Elle fait le tour des manèges, court devant le stand de carabine. Les larmes lui montent aux yeux, elle a envie de secouer les passants, de pousser les inconnus qui se pressent là, tenant bien en main leurs enfants. Elle retourne vers la fermette. Sa mâchoire tremble tellement qu'elle ne peut même plus appeler la fillette. Son crâne lui fait atrocement mal et elle sent que ses genoux se mettent à flancher. Dans un instant, elle tombera par terre, incapable de faire un geste, muette, totalement démunie.

Puis elle l'aperçoit, au bout d'une allée. Mila mange une glace sur un banc, une femme penchée vers elle. Louise se jette sur l'enfant. « Mila ! Mais tu es complètement folle ! Qu'est-ce qui t'a pris de partir comme ça ? » L'inconnue, une femme d'une soixantaine d'années, serre la petite fille contre elle. « C'est scandaleux. Qu'est-ce que vous faisiez ? Comment a-t-elle pu se retrouver toute seule ? Je pourrais très bien demander le numéro de ses parents à la petite. Je ne suis pas sûre qu'ils apprécieraient. »

Mais Mila échappe à l'étreinte de l'inconnue. Elle la repousse et lui lance un regard méchant, avant de se jeter contre les jambes de Louise. La nounou se penche vers elle et la soulève. Louise embrasse son cou glacé, elle lui caresse les cheveux. Elle regarde le visage blême de l'enfant et s'excuse de sa négligence. « Ma petite, mon ange, mon chaton. » Elle la cajole, la couvre de baisers, la tient serrée contre sa poitrine.

En voyant l'enfant se lover dans les bras de la petite femme blonde, la vieille se calme. Elle ne sait plus quoi dire. Elle les observe en remuant la tête d'un air de reproche. Elle espérait sans doute provoquer un scandale. Cela l'aurait distraite. Elle aurait eu quelque chose à raconter si la nounou s'était mise en colère, s'il avait fallu appeler les parents, si des menaces avaient été proférées puis mises à exécution. L'inconnue finit par se lever de ce banc, et elle part en disant : « Bon, la prochaine fois, vous ferez attention. »

Louise regarde partir la vieille qui se retourne deux ou trois fois. Elle lui sourit, reconnaissante. À mesure que la silhouette voûtée s'éloigne, Louise serre Mila contre elle, de plus en plus fort. Elle écrase le torse de la petite fille qui supplie : « Arrête, Louise, tu m'étouffes. » L'enfant essaie de se dégager de cette étreinte, elle remue, donne des coups de pied mais la nounou la tient fermement. Elle colle ses lèvres contre l'oreille de Mila et elle lui dit, d'une voix calme et glacée : « Ne t'éloigne plus jamais, tu m'entends. Tu veux que quelqu'un te vole ? Un méchant monsieur ? La prochaine fois, c'est ce qui arrivera. Tu auras beau crier et pleurer, personne ne viendra. Est-ce que tu sais ce qu'il te fera ? Non ? Tu ne sais pas ? Il t'emmènera, il te cachera, il te gardera pour lui tout seul et tu ne reverras plus jamais tes parents. » Louise s'apprête à poser l'enfant quand elle sent une douleur atroce dans l'épaule. Elle hurle et essaie de repousser la petite fille, qui la mord jusqu'au sang. Les dents de Mila s'enfoncent dans sa chair, la déchirent, elle reste accrochée au bras de Louise comme un animal devenu fou.

Ce soir-là, elle ne raconte pas à Myriam l'histoire de la fugue ni celle de la morsure. Mila, elle aussi, reste silencieuse sans que sa nounou l'ait prévenue ou menacée. À présent, Louise et Mila ont chacune un grief contre l'autre. Elles ne se sont jamais senties aussi unies que par ce secret.

Jacques

Jacques adorait lui dire de se taire. Il ne supportait pas sa voix, qui lui râpait les nerfs. « Tu vas la fermer, oui ? » Dans la voiture, elle ne pouvait pas s'empêcher de bavarder. Elle avait peur de la route et parler la calmait. Elle se lançait dans des monologues insipides, reprenant à peine sa respiration entre deux phrases. Elle jacassait, égrenant le nom des rues, étalant les souvenirs qu'elle y avait.

Elle sentait bien que son mari fulminait. Elle savait que c'était pour la faire taire qu'il augmentait le son de la radio. Que c'était pour l'humilier qu'il ouvrait la fenêtre et se mettait à fumer en fredonnant. La colère de son époux lui faisait peur mais elle devait aussi reconnaître que, parfois, cela l'excitait. Elle jouissait de lui tordre les boyaux, de l'amener à un état de rage tel qu'il était capable de se garer sur le bas-côté, de la saisir par le cou et de la menacer à voix basse de la faire taire à tout jamais.

Jacques était lourd, bruyant. En vieillissant, il est devenu aigre et vaniteux. Le soir, en rentrant du travail, il faisait pendant une heure au moins l'exposé de ses griefs contre untel ou untel. À l'en croire, tout le monde essayait de le voler, de le manipuler, de tirer profit de sa condition. Après son premier licenciement, il a poursuivi son employeur devant les prud'hommes. La procédure lui a coûté du temps, énormément d'argent mais la victoire finale lui a apporté un tel sentiment de puissance qu'il a pris goût aux litiges et aux tribunaux. Plus tard, il a cru faire fortune en poursuivant son assurance après un banal accident de voiture. Puis il s'en est pris aux voisins du premier étage, à la mairie, au syndic de l'immeuble. Ses journées entières étaient occupées par la rédaction de lettres illisibles et menaçantes. Il épluchait les sites Internet d'aide juridique, à la recherche du moindre article de loi qui pourrait jouer en sa faveur. Jacques était colérique et d'une mauvaise foi sans limites. Il enviait le succès des autres, leur déniait tout mérite. Il lui arrivait même de passer l'après-midi au tribunal de commerce, pour se gaver de la détresse des autres. Il jouissait des ruines subites, des coups du sort.

« Je ne suis pas comme toi, disait-il fièrement à Louise. Je n'ai pas une âme de carpette, à ramasser la merde et le vomi des mioches. Il n'y a plus que les négresses pour faire un travail pareil. » Il trouvait sa femme excessivement docile. Et si cela l'excitait, la nuit, dans le lit conjugal, cela l'exaspérait le reste du temps. Il donnait continuellement des conseils à Louise, qu'elle faisait mine d'écouter. « Tu devrais leur dire de te rembourser, c'est tout », « Tu ne devrais pas accepter de travailler une minute de plus sans être payée », « Prends un congé maladie, va, qu'est-ce que tu veux qu'ils y fassent ? ».

Jacques était trop occupé pour chercher un emploi.

Ses tracasseries lui prenaient tout son temps. Il quittait peu l'appartement, étalant ses dossiers sur la table basse, la télévision toujours allumée. À cette époque, la présence des enfants lui est devenue insupportable et il a intimé à Louise l'ordre d'aller travailler dans l'appartement de ses employeurs. Les toux enfantines, les vagissements, même les rires l'irritaient. Louise, surtout, le répugnait. Ses préoccupations minables, qui tournaient toutes autour des gamins, le mettaient dans un véritable état de rage. « Toi et tes affaires de bonnes femmes », répétait-il. Il pensait que ces histoires ne sont pas bonnes à être racontées. Elles devraient être vécues à l'abri du monde, nous n'en devrions rien savoir, de ces histoires de bébés ou de vieillards. Ce sont de mauvais moments à passer, des âges de servitude et de répétitions des mêmes gestes. Des âges où le corps, monstrueux, sans pudeur, mécanique froide et odorante, envahit tout. Des corps qui réclament de l'amour et à boire. « C'est à vous dégoûter d'être un homme. »

À cette époque, il a acheté à crédit un ordinateur, une nouvelle télévision, et un fauteuil électrique qui faisait des massages et dont on pouvait abaisser le dossier pour faire la sieste. Des heures devant l'écran bleu de son ordinateur, dont le souffle asthmatique emplissait la pièce. Assis sur son nouveau fauteuil, face à sa télévision flambant neuve, il appuyait frénétiquement sur les boutons de sa télécommande, comme un gosse rendu idiot par trop de jouets.

C'était sans doute un samedi puisqu'ils déjeunaient ensemble. Jacques râlait, comme toujours, mais avec moins de vigueur. Sous la table, Louise a déposé une vasque pleine d'eau glacée dans laquelle Jacques a trempé ses pieds. Louise revoit encore, dans ses cauchemars, les jambes violettes de Jacques, ses chevilles de diabétique gonflées et malsaines, qu'il lui demandait sans cesse de masser. Cela faisait quelques jours que Louise avait remarqué son teint cireux, ses yeux éteints. Elle avait noté sa difficulté à terminer une phrase sans reprendre son souffle. Elle a préparé un osso-buco. À la troisième bouchée, alors qu'il s'apprêtait à parler, Jacques a tout vomi dans son assiette. Il a vomi en jet, comme les nouveau-nés, et Louise a su que c'était grave. Que ça ne passerait pas. Elle s'est levée et, en voyant le visage désemparé de Jacques, elle a dit : « Ce n'est pas grave. Ce n'est rien. » Elle a parlé sans s'arrêter, s'accusant d'avoir mis trop de vin dans la sauce qui était acide, déroulant des théories stupides sur les aigreurs d'estomac. Elle parlait et parlait, donnait des conseils, s'accusait puis demandait pardon. Sa logorrhée tremblante et décousue ne faisait qu'augmenter l'angoisse qui s'était emparée de Jacques, celle d'être dans son corps comme en haut d'un escalier dont on a raté une marche et qu'on se regarde dégringoler, la tête la première, le dos broyé, les chairs en sang. Si elle s'était tue, il aurait peut-être pleuré, il aurait demandé de l'aide ou même un peu de tendresse. Mais en rangeant l'assiette, en défaisant la nappe, en nettoyant le sol, sans cesse, elle parlait.

Jacques est mort trois mois plus tard. Il s'est asséché comme un fruit qu'on oublie au soleil. Il neigeait le jour de l'enterrement et la lumière était presque bleue. Louise s'est retrouvée seule.

Elle a hoché la tête devant le notaire qui lui a expliqué, contrit, que Jacques ne laissait que des dettes. Elle fixait le goitre que le col de chemise écrasait et elle a fait semblant d'accepter la situation. De Jacques, elle n'a hérité que de litiges avortés, de procès en attente, de factures à acquitter. La banque lui a donné un mois pour quitter la petite maison de Bobigny, qui allait être saisie. Louise a fait seule les cartons. Elle a rangé avec soin les quelques affaires que Stéphanie avait laissées derrière elle. Elle ne savait pas quoi faire des piles de documents que Jacques avait accumulés. Elle a pensé à y mettre le feu, dans le petit jardin, et s'est dit que le feu, avec un peu de chance, pourrait venir lécher les murs de la maison, ceux de la rue, de tout le quartier même. Ainsi, toute cette partie-là de sa vie partirait en fumée. Elle n'en éprouverait aucun déplaisir. Elle resterait là, discrète et immobile, pour observer les flammes dévorer ses souvenirs, ses longues marches dans les rues désertes et sombres, ses dimanches d'ennui entre Jacques et Stéphanie.

Mais Louise a soulevé sa valise, elle a fermé la porte à double tour et elle est partie, abandonnant dans le hall de la petite maison les cartons de souvenirs, les vêtements de sa fille et les combines de son mari.

Cette nuit-là, elle a dormi dans une chambre d'hôtel qu'elle a payée une semaine d'avance. Elle se faisait des sandwichs qu'elle mangeait devant la télévision. Elle suçait des biscuits à la figue qu'elle laissait fondre sur sa langue. La solitude s'est révélée, comme une brèche immense dans laquelle Louise s'est regardée sombrer. La solitude, qui collait à sa chair, à ses vêtements, a commencé à modeler ses traits et lui a donné des gestes de petite vieille. La solitude lui sautait au visage au crépuscule, quand la nuit tombe et que les bruits montent des maisons où l'on vit à plusieurs. La lumière baisse et la rumeur arrive; les rires, et les halètements, même les soupirs d'ennui.

Dans cette chambre, dans une rue du quartier chinois, elle a perdu la notion du temps. Elle était égarée, hagarde. Le monde entier l'avait oubliée. Elle dormait pendant des heures et se réveillait les yeux gonflés et la tête douloureuse, malgré le froid qui sévissait dans la pièce. Elle ne sortait qu'en cas d'extrême nécessité, quand la faim devenait trop insistante. Elle marchait dans la rue comme dans un décor de cinéma dont elle aurait été absente, spectatrice invisible du mouvement des hommes. Tout le monde semblait avoir quelque part où aller.

La solitude agissait comme une drogue dont elle n'était pas sûre de vouloir se passer. Louise errait dans la rue, ahurie, les yeux ouverts au point de lui faire mal. Dans sa solitude, elle s'est mise à voir les gens. À les voir vraiment. L'existence des autres devenait palpable, vibrante, plus réelle que jamais. Elle observait jusque dans les moindres détails les gestes des couples assis aux terrasses. Les regards en biais des vieillards à l'abandon. Les minauderies des étudiantes qui faisaient semblant de réviser, assises sur le dossier d'un banc. Sur les places, à la sortie d'une station de métro, elle reconnaissait l'étrange parade de ceux qui s'impatientent. Elle attendait avec eux l'arrivée d'un rendez-vous. Chaque jour, elle rencontrait des compagnons en folie, parleurs solitaires, déments, clochards.

La ville, à cette époque, était peuplée de fous.

L'hiver s'installe, les jours se ressemblent. Novembre est pluvieux et glacé. Dehors, les trottoirs sont couverts de verglas. Impossible de sortir. Louise essaie de distraire les enfants. Elle invente des jeux, elle chante des chansons. Ils construisent une maison en carton. Mais la journée paraît interminable. Adam a de la fièvre et il n'a pas cessé de gémir. Louise le tient dans ses bras, elle le berce pendant près d'une heure, jusqu'à ce qu'il s'endorme. Mila, qui tourne en rond dans le salon, devient nerveuse elle aussi.

« Viens là », lui dit Louise. Mila s'approche et la nounou sort de son sac la petite trousse blanche dont l'enfant a si souvent rêvé. Mila trouve que Louise est la plus belle des femmes. Elle ressemble à cette hôtesse de l'air, blonde et très apprêtée, qui lui avait offert des bonbons lors d'un vol pour Nice. Louise a beau s'agiter toute la journée, faire la vaisselle et courir de l'école à la maison, elle est toujours parfaite. Ses cheveux sont soigneusement tirés en arrière. Son mascara noir, dont elle applique au moins trois couches épaisses, lui fait un regard de poupée ébahie. Et puis, il y a ses mains, douces et qui sentent les fleurs. Ses mains sur lesquelles jamais le vernis ne s'écaille.

Louise, parfois, se refait les ongles devant Mila et la petite respire, les yeux fermés, l'odeur du dissolvant et celle du vernis à ongles bon marché que la nounou étale d'un geste vif, sans jamais dépasser. Fascinée, l'enfant la regarde agiter les mains en l'air et souffler sur ses doigts.

Si Mila accepte les baisers de Louise, c'est pour sentir l'odeur de talc sur ses joues, pour voir de plus près les paillettes qui brillent sur ses paupières. Elle aime l'observer quand elle applique son rouge à lèvres. D'une main, Louise tient devant elle un miroir, toujours immaculé, et elle étire sa bouche dans une grimace étrange que Mila reproduit ensuite dans la salle de bains.

Louise fouille dans la trousse. Elle prend les mains de la petite fille et enduit ses paumes de crème à la rose qu'elle extrait d'un pot minuscule. « Ça sent bon, non ? » Elle pose, sous les yeux ébahis de l'enfant, du vernis sur ses petits ongles. Un vernis rose et vulgaire, qui sent très fort l'acétone. Cette odeur, pour Mila, est celle de la féminité.

« Enlève tes chaussettes, tu veux ? » Et sur les doigts de pied potelés, à peine sortis de l'enfance, elle étale le vernis. Louise vide le contenu de la trousse sur la table. Une poussière orange et une odeur de talc se répandent. Mila est prise d'un rire de jubilation. Louise à présent met du rouge à lèvres, du fard à paupières bleu à l'enfant et, sur ses pommettes, une pâte orangée. Elle lui fait baisser la tête et elle crêpe ses cheveux, trop raides et trop fins, jusqu'à en faire une crinière.

Elles rient tellement qu'elles n'entendent pas Paul qui referme la porte et entre dans le salon. Mila sourit, la bouche ouverte, les bras écartés.

« Regarde, papa. Regarde ce que Louise a fait ! »

Paul la fixe. Lui qui était si heureux de rentrer plus tôt, si content de voir ses enfants, a un haut-le-cœur. Il a l'impression d'avoir surpris un spectacle sordide ou malsain. Sa fille, sa toute petite, ressemble à un travesti, à une chanteuse de cabaret démodée, finie, abîmée. Il n'en revient pas. Il est furieux, hors de lui. Il déteste Louise de lui avoir imposé ce spectacle. Mila, son ange, sa libellule bleue, est aussi laide qu'un animal de foire, aussi ridicule que le chien qu'une vieille dame hystérique aurait habillé pour sa promenade.

« Mais qu'est-ce que c'est que ça ? Qu'est-ce qui vous a pris ? » Paul hurle. Il attrape Mila par le bras et il la hisse sur un tabouret dans la salle de bains. Il essuie le maquillage sur son visage. La petite hurle : « Tu me fais mal. » Elle sanglote et le rouge ne fait que s'étaler, plus collant, plus visqueux, sur la peau diaphane de l'enfant. Il a l'impression de la défigurer toujours plus, de la salir et sa colère grandit.

« Louise, je vous préviens, je ne veux plus jamais voir ça. Ce genre de chose me fait horreur. Je n'ai pas l'intention d'enseigner une telle vulgarité à ma fille. Elle est beaucoup trop petite pour être déguisée en... Vous voyez ce que je veux dire. »

Louise est restée debout, à l'entrée de la salle de

bains, Adam dans les bras. Malgré les cris de son père, malgré l'agitation, le bébé ne pleure pas. Il pose sur Paul un regard dur, méfiant, comme s'il lui signifiait qu'il avait choisi son camp, celui de Louise. La nounou écoute Paul. Elle ne baisse pas les yeux, elle ne s'excuse pas.

Stéphanie pourrait être morte. Louise y pense parfois. Elle aurait pu l'empêcher de vivre. L'étouffer dans l'œuf. Personne ne s'en serait rendu compte. On n'aurait pas eu à cœur de le lui reprocher. Si elle l'avait éliminée, la société lui en serait peut-être même reconnaissante aujourd'hui. Elle aurait fait preuve de civisme, de lucidité.

Louise avait vingt-cinq ans et elle s'était réveillée un matin, les seins lourds et douloureux. Une tristesse nouvelle s'était immiscée entre elle et le monde. Elle sentait bien que ça n'allait pas. Elle travaillait alors chez M. Franck, un peintre qui vivait avec sa mère, dans un hôtel particulier du quatorzième arrondissement. Louise ne comprenait pas grand-chose aux œuvres de M. Franck. Dans le salon, sur les murs du couloir et des chambres, elle s'arrêtait devant les immenses portraits de femmes défigurées, les corps perclus de douleurs ou paralysés par l'extase qui avaient fait la notoriété du peintre. Louise n'aurait pas su dire si elle les trouvait beaux, mais elle les aimait.

Geneviève, la mère de M. Franck, s'était fracturé le

col du fémur en descendant d'un train. Elle ne pouvait plus marcher et sur le quai, elle avait perdu la raison. Elle vivait couchée, nue la plupart du temps, dans une chambre claire au rez-de-chaussée. Il était si difficile de l'habiller, elle se débattait avec une telle férocité, qu'on se contentait de l'allonger sur une couche ouverte, les seins et le sexe à la vue de tous. Le spectacle de ce corps à l'abandon était effroyable.

M. Franck avait commencé par embaucher des infirmières qualifiées et très chères. Mais celles-ci se plaignaient des caprices de la vieille. Elles l'assommaient de médicaments. Le fils les trouvait froides et brutales. Il rêvait pour sa mère d'une amie, d'une nourrice, d'une femme tendre qui écouterait ses délires sans lever les yeux au ciel, sans soupirer. Louise était jeune, certes, mais elle l'avait impressionné par sa force physique. Le premier jour, elle était entrée dans la chambre et elle avait, à elle seule, réussi à soulever le corps lourd comme une dalle. Elle l'avait nettoyé, en parlant sans cesse, et Geneviève pour une fois n'avait pas crié.

Louise dormait avec la vieille. Elle la lavait. Elle l'écoutait délirer la nuit. Comme les nourrissons, Geneviève craignait le crépuscule. Les lumières faiblissantes, les ombres, les silences la faisaient hurler de peur. Elle avait des terreurs vespérales. Elle suppliait sa mère, morte depuis quarante ans, de venir la chercher. Louise, qui dormait à côté du lit médicalisé, tentait de la raisonner. La vieille lui crachait des insultes, la traitait de pute, de chienne, de bâtarde. Parfois, elle essayait de la frapper.

Puis, Louise s'est mise à dormir plus profondément

que jamais. Les cris de Geneviève ne la dérangeaient plus. Bientôt, elle n'a plus été capable de retourner la vieille ou de l'installer sur son fauteuil roulant. Ses bras étaient comme atrophiés, son dos lui faisait affreusement mal. Un après-midi, alors que la nuit était déjà tombée et que Geneviève marmonnait des prières déchirantes, Louise est montée dans l'atelier de M. Franck pour lui expliquer la situation. Le peintre est entré dans une rage que Louise n'avait pas prévue. Il a fermé la porte violemment et s'est approché d'elle, plantant ses yeux gris dans les siens. Elle a cru, un instant, qu'il allait lui faire du mal. Et il s'est mis à rire.

« Louise, quand on est comme vous, célibataire, et qu'on gagne à peine sa vie, on ne fait pas d'enfants. Pour vous dire tout à fait mon sentiment, je trouve que vous êtes complètement irresponsable. Vous arrivez avec vos yeux ronds et votre sourire bête, pour m'annoncer ça. Et vous voudriez quoi, encore ? Qu'on ouvre le champagne ? » Il faisait les cent pas dans la grande pièce, au milieu des toiles inachevées, les mains derrière le dos. « Vous pensez que c'est une bonne nouvelle ? Vous n'avez donc aucune jugeote ? Je vais vous dire : vous avez de la chance d'être tombée sur un employeur comme moi, qui essaie de vous aider à améliorer votre situation. J'en connais qui vous auraient mise dehors, et plus vite que ça. Je vous confie ma mère, qui est la personne qui compte le plus au monde pour moi, et je m'aperçois que vous êtes complètement écervelée, incapable de bon sens. Je me fiche de ce que vous faites de vos soirées libres. Vos mœurs légères ne me regardent pas. Mais la vie, ce n'est pas une fête. Qu'est-ce que vous feriez d'un bébé ? »

En réalité, M. Franck ne se fichait pas de ce que Louise faisait le samedi soir. Il s'est mis à lui poser des questions, de plus en plus insistantes. Il avait envie de la secouer, de lui donner des gifles pour qu'elle avoue. Qu'elle lui raconte ce qu'elle faisait lorsqu'elle n'était pas là, sous ses yeux, au chevet de Geneviève. Il voulait savoir de quelles caresses cet enfant était né, dans quel lit Louise s'était abandonnée au plaisir, à la luxure, au rire. Il lui demandait sans cesse qui était le père, à quoi il ressemblait, où elle l'avait rencontré et ce qu'il avait l'intention de faire. Mais Louise, invariablement, répondait à ses questions en disant: « C'est personne. »

M. Franck a tout pris en main. Il a dit qu'il l'emmènerait lui-même chez le médecin et qu'il l'attendrait pendant l'intervention. Il lui a même promis qu'une fois que ce serait fini il lui ferait signer un contrat en bonne et due forme, qu'il lui verserait de l'argent sur un compte en banque à son nom et qu'elle aurait droit à des congés payés.

Le jour de l'opération, Louise ne s'est pas réveillée et elle a raté le rendez-vous. Stéphanie s'est imposée, creusant en elle, l'étirant, déchirant sa jeunesse. Elle a germé comme un champignon sur un bois humide. Louise n'est pas retournée chez M. Franck. Elle n'a jamais revu la vieille.

Enfermée dans l'appartement des Massé, elle a parfois l'impression de devenir folle. Depuis quelques jours, des plaques rouges sont apparues sur ses joues et sur ses poignets. Louise est obligée de mettre ses mains et son visage sous l'eau glacée pour apaiser la sensation de brûlure qui la dévore. Pendant ces longues journées d'hiver, un sentiment de solitude immense l'étreint. En proie à la panique, elle sort de l'appartement, ferme la porte derrière elle, affronte le froid et emmène les enfants au square.

Les squares, les après-midi d'hiver. Le crachin balaie les feuilles mortes. Le gravier glacé colle aux genoux des petits. Sur les bancs, dans les allées discrètes, on croise ceux dont le monde ne veut plus. Ils fuient les appartements exigus, les salons tristes, les fauteuils creusés par l'inactivité et l'ennui. Ils préfèrent grelotter en plein air, le dos rond, les bras croisés. À 16 heures, les journées oisives paraissent interminables. C'est au milieu de l'après-midi que l'on perçoit le temps gâché, que l'on s'inquiète de la soirée à venir. À cette heure, on a honte de ne servir à rien.

Les squares, les après-midi d'hiver, sont hantés par les vagabonds, les clochards, les chômeurs et les vieux, les malades, les errants, les précaires. Ceux qui ne travaillent pas, ceux qui ne produisent rien. Ceux qui ne font pas d'argent. Au printemps, bien sûr, les amoureux reviennent, les couples clandestins trouvent un domicile sous les tilleuls, dans les alcôves fleuries, les touristes photographient les statues. L'hiver, c'est autre chose.

Autour du toboggan glacé, il y a les nounous et leur armée d'enfants. Enveloppés dans des doudounes qui les empêchent, les bambins courent comme de grosses poupées japonaises, le nez dégoulinant de morve, les doigts violets. Ils soufflent de la fumée blanche et s'en émerveillent. Dans les poussettes, les bébés harnachés contemplent leurs aînés. Peut-être certains en éprouvent-ils de la mélancolie, de l'impatience. Ils ont hâte sans doute de pouvoir se réchauffer en grimpant sur le portique en bois. Ils piaffent à l'idée d'échapper à la surveillance des femmes qui les rattrapent d'une main sûre ou brutale, douce ou excédée. Des femmes en boubous dans l'hiver glacial.

Il y a les mères aussi, les mères au regard vague. Celle qu'un accouchement récent retient à la lisière du monde et qui, sur ce banc, sent le poids de son ventre encore flasque. Elle porte son corps de douleur et de sécrétions, son corps qui sent le lait aigre et le sang. Cette chair qu'elle traîne et à qui elle n'offre ni soin ni repos. Il y a les mères souriantes, radieuses, les mères si rares, que tous les enfants couvent des yeux. Celles qui n'ont pas dit au revoir ce matin, qui ne les ont pas laissés dans les bras d'une autre. Celles qu'un jour de congé exceptionnel a poussées là et qui profitent avec un enthousiasme étrange de cette banale journée d'hiver au parc.

Les hommes, il y en a, mais plus près des bancs du square, plus près du bac à sable, plus près des bambins, les femmes forment un mur compact, une défense infranchissable. On se méfie des hommes qui errent, de ceux qui s'intéressent à ce monde de bonnes femmes. On chasse ceux qui sourient aux enfants, qui regardent leurs joues replètes et leurs petites jambes. Les grands-mères le déplorent : « Avec tous les pédophiles qu'il y a aujourd'hui. De mon temps, ça n'existait pas. »

Louise ne quitte pas Mila des yeux. La petite fille court, du toboggan à la balançoire. Elle ne s'arrête jamais pour ne pas laisser de prise au froid. Ses gants sont trempés et elle les essuie en les frottant contre son manteau rose. Adam dort dans sa poussette. Louise l'a enroulé dans une couverture et elle caresse doucement la peau de sa nuque, entre le pull et le bonnet de laine. Un soleil glacial, à l'éclat métallique, lui fait plisser les yeux.

« Tu en veux ? »

Une jeune femme s'est assise à côté d'elle, les jambes écartées. Elle lui tend une petite boîte où s'agglutinent des gâteaux au miel. Louise la regarde. Elle n'a pas plus de vingt-cinq ans et elle sourit d'une manière un peu vulgaire. Ses longs cheveux noirs sont sales et pas coiffés, mais on devine qu'elle pourrait être jolie. Attirante en tout cas. Elle a des rondeurs sensuelles, un peu de ventre et des cuisses épaisses. Elle mâche son gâteau la bouche ouverte et suce bruyamment ses doigts couverts de miel.

« Merci. » Louise refuse le gâteau d'un signe de la main.

« Chez nous, on propose toujours à manger aux inconnus. Il n'y a qu'ici que j'ai vu des gens manger tout seuls. » Un garçon d'environ quatre ans s'approche de la jeune femme et elle lui enfonce un gâteau dans la bouche. Le petit garçon rit.

« C'est bon pour toi, lui dit-elle. C'est un secret, d'accord ? On ne dit rien à ta mère. »

Le petit garçon s'appelle Alphonse et Mila aime jouer avec lui. Louise vient au square tous les jours et tous les jours elle refuse les pâtisseries grasses que lui propose Wafa. Elle interdit à Mila d'en manger mais Wafa ne se formalise pas. La jeune femme est très bavarde et sur le banc, les fesses collées à Louise, elle lui raconte sa vie. Elle parle surtout des hommes.

Wafa fait penser à une espèce de gros félin peu subtil mais très débrouillard. Elle n'a pas encore de papiers et ne semble pas s'en inquiéter. Elle est arrivée en France grâce à un vieil homme à qui elle prodiguait des massages, dans un hôtel louche de Casablanca. L'homme s'est attaché à ses mains, si douces, puis à sa bouche et à ses fesses et, enfin, à tout ce corps qu'elle lui a offert, suivant ainsi son instinct et les conseils de sa mère. Le vieillard l'a emmenée à Paris, où il vivait dans un appartement minable et où il touchait de l'argent de l'État. « Il a eu peur que je tombe enceinte et ses enfants l'ont poussé à me mettre dehors. Mais le vieux, il aurait bien voulu que je reste. »

Face à Louise et à son silence, Wafa parle comme on se confie à un prêtre ou à la police. Elle lui raconte les détails d'une vie qui ne sera jamais consignée. Après le départ de chez le vieux, elle a été recueillie par une fille qui l'a inscrite sur des sites de rencontres pour jeunes femmes musulmanes et sans papiers. Un soir, un homme lui a donné rendez-vous dans un McDo de banlieue. Le type l'a trouvée belle. Il lui a fait des avances. Il a même essayé de la violer. Elle a réussi à le calmer. Ils se sont mis à parler d'argent. Youssef a accepté de l'épouser pour vingt mille euros. « C'est pas cher payé pour des papiers français », a-t-il expliqué.

Elle a trouvé ce travail, une aubaine, chez un couple franco-américain. Ils la traitent bien même s'ils sont très exigeants. Ils lui ont loué une chambre de bonne à cent mètres de chez eux. « Ils paient le loyer mais en échange, je ne peux jamais leur dire non. »

« Je l'adore, ce gosse », dit-elle en dévorant Alphonse des yeux. Louise et Wafa se taisent. Un vent glacé balaie le square et elles savent qu'il faudra bientôt s'en aller. « Ce pauvre petit. Regarde-le, il arrive à peine à bouger tellement je l'ai habillé. S'il attrape froid sa mère va me tuer. »

Wafa a peur, parfois, de vieillir dans un de ces parcs. De sentir ses genoux craquer sur ces vieux bancs gelés, de n'avoir même plus la force de soulever un enfant. Alphonse va grandir. Il ne remettra plus les pieds dans un square, un après-midi d'hiver. Il ira au soleil. Il prendra des vacances. Peut-être même qu'un jour il dormira dans une des chambres du Grand Hôtel, où elle massait les hommes. Lui, qu'elle a élevé, il se fera servir par une de ses sœurs ou un de ses cousins, sur la terrasse pavée de carreaux jaunes et bleus.

« Tu vois, tout se retourne et tout s'inverse. Son enfance et ma vieillesse. Ma jeunesse et sa vie d'homme. Le destin est vicieux comme un reptile, il s'arrange toujours pour nous pousser du mauvais côté de la rampe. »

La pluie tombe. Il faut rentrer.

Pour Paul et Myriam, l'hiver file à toute vitesse. Pendant ces quelques semaines, le couple se voit peu. Ils se croisent dans leur lit, l'un rejoignant l'autre dans le sommeil. Ils collent leurs pieds sous les draps, se font des baisers dans le cou et rient d'entendre l'autre grommeler comme un animal dont on perturbe le sommeil. Ils s'appellent dans la journée, se laissent des messages. Myriam écrit des post-it amoureux qu'elle colle sur le miroir de la salle de bains. Paul lui envoie, en pleine nuit, des vidéos de ses séances de répétition.

La vie est devenue une succession de tâches, d'engagements à remplir, de rendez-vous à ne pas manquer. Myriam et Paul sont débordés. Ils aiment à le répéter comme si cet épuisement était le signe avant-coureur de la réussite. Leur vie déborde, il y a à peine la place pour le sommeil, aucune pour la contemplation. Ils courent d'un lieu à un autre, changent de chaussures dans les taxis, prennent des verres avec des gens importants pour leurs carrières. À eux deux, ils deviennent les patrons d'une entreprise qui tourne, qui a des objectifs clairs, des entrées d'argent et des charges.

Partout dans la maison on trouve les listes que Myriam écrit, sur une serviette en papier, un post-it ou sur la dernière page d'un livre. Elle passe son temps à les chercher. Elle craint de les jeter comme si cela risquait de lui faire perdre le fil des tâches à accomplir. Elle en a gardé de très anciennes et elle les relit avec d'autant plus de nostalgie qu'elle ne sait plus, parfois, à quoi ces notes obscures correspondent.

— *Pharmacie*
— *Raconter à Mila l'histoire de Nils*
— *Réservations pour la Grèce*
— *Rappeler M.*
— *Relire toutes mes notes*
— *Retourner voir cette vitrine. Acheter la robe?*
— *Relire Maupassant*
— *Lui faire une surprise?*

Paul est heureux. Sa vie, pour une fois, lui semble à la hauteur de son appétit, de son énergie folle, de sa joie de vivre. Lui, le garçon qui a poussé au grand air, peut enfin se déployer. En quelques mois, sa carrière a connu un véritable tournant et, pour la première fois de sa vie, il fait exactement ce qui lui plaît. Il ne passe plus ses journées au service des autres, à obéir et à se taire, face à un producteur hystérique, à des chanteurs enfantins. Oublié les journées à attendre des groupes qui ne préviennent pas qu'ils auront six heures de retard. Oublié les séances d'enregistrement avec les chanteurs de variétés sur le retour ou ceux qui ont besoin de litres d'alcool et de dizaines de rails avant d'enchaîner une note. Paul passe ses nuits au studio, affamé de musique, d'idées nouvelles, de fous rires. Il ne laisse rien au hasard, corrige pendant des heures le son d'une caisse claire, un arrangement de batterie. « Louise est là ! » répète-t-il à sa femme, quand elle s'inquiète de leurs absences.

Quand Myriam est tombée enceinte, il était fou de joie, mais il prévenait ses amis qu'il ne voulait pas que sa vie change. Myriam s'est dit qu'il avait raison et elle a regardé son homme, si sportif, si beau, si indépendant, avec plus d'admiration encore. Il lui avait promis de veiller à ce que leur vie reste lumineuse, à ce qu'elle continue à leur réserver des surprises. « Nous ferons des voyages et nous prendrons le petit sous le bras. Tu deviendras un grand avocat, je produirai des artistes adulés et rien ne changera. » Ils ont fait semblant, ils ont lutté.

Dans les mois qui ont suivi la naissance de Mila, la vie est devenue une comédie un peu pathétique. Myriam cachait ses cernes et sa mélancolie. Elle avait peur de reconnaître qu'elle avait tout le temps sommeil. À cette époque, Paul s'est mis à lui demander : « À quoi tu penses ? » et à chaque fois elle avait envie de pleurer. Ils invitaient des amis chez eux et Myriam devait se retenir de les mettre dehors, de renverser la table, de s'enfermer à clé dans sa chambre. Les copains riaient, ils levaient leurs verres, Paul les resservait. Ils débattaient et Myriam craignait pour le sommeil de sa fille. Elle en aurait hurlé de fatigue.

À la naissance d'Adam, ça a été pire encore. La nuit où ils sont rentrés de la maternité, Myriam s'est endormie dans la chambre, le berceau transparent à côté d'elle.

Paul ne trouvait pas le sommeil. Il lui semblait qu'une odeur étrange régnait dans l'appartement. La même odeur que dans les magasins d'animaux, sur les quais, où ils emmenaient parfois Mila le week-end. Une odeur de sécrétion et d'enfermement, de pisse séchée dans une litière. Cette odeur l'écœurait. Il s'est levé, a descendu les poubelles. Il a ouvert la fenêtre. Il s'est ensuite rendu compte que c'était Mila qui avait jeté tout ce qu'elle avait pu trouver dans les toilettes qui à présent débordaient et répandaient ce vent pourri dans l'appartement.

À cette époque, Paul s'est senti pris au piège, accablé d'obligations. Il s'est éteint, lui dont tout le monde admirait l'aisance, le rire tonitruant, la confiance en l'avenir. Lui, le grand échalas blond sur le passage de qui les filles se retournaient sans qu'il les remarque. Il a cessé d'avoir des idées folles, de proposer des week-ends à la montagne et des virées en voiture pour aller manger des huîtres sur la plage. Il a tempéré ses enthousiasmes. Dans les mois qui ont suivi la naissance d'Adam, il s'est mis à éviter la maison. Il inventait des rendez-vous et buvait des bières, seul, en cachette, dans un quartier éloigné de chez lui. Ses copains étaient devenus parents eux aussi, et la plupart avaient quitté Paris pour la banlieue, la province ou un pays chaud du sud de l'Europe. Pendant quelques mois, Paul est devenu puéril, irresponsable, ridicule. Il a eu des secrets et des envies d'évasion. Il n'avait d'ailleurs pas d'indulgence pour lui-même. Il mesurait bien à quel point son attitude était banale. Tout ce qu'il voulait, c'était ne pas rentrer chez lui, être libre, vivre encore, lui qui avait si peu vécu et qui s'en rendait compte trop tard. Les habits de père lui semblaient à la fois trop grands et trop tristes.

Mais c'était fait maintenant, il ne pouvait pas dire qu'il n'en voulait plus. Les enfants étaient là, aimés, adorés, jamais remis en cause, mais le doute s'était insinué partout. Les enfants, leur odeur, leurs gestes, leur désir de lui, tout cela l'émouvait à un point qu'il n'aurait pu décrire. Il avait envie, parfois, d'être enfant avec eux, de se mettre à leur hauteur, de fondre dans l'enfance. Quelque chose était mort et ce n'était pas seulement la jeunesse ou l'insouciance. Il n'était plus inutile. On avait besoin de lui et il allait devoir faire avec ça. En devenant père, il a acquis des principes et des certitudes, ce qu'il s'était juré de ne jamais avoir. Sa générosité est devenue relative. Ses engouements ont tiédi. Son univers s'est rétréci.

Louise est là à présent et Paul s'est remis à donner rendez-vous à sa femme. Un après-midi, il lui a envoyé un message. « Place des Petits-Pères. » Elle n'a pas répondu et il a trouvé son silence merveilleux. Comme une politesse, un silence d'amoureuse. Il est arrivé sur la place le cœur tremblant, avec un peu d'avance et d'inquiétude. « Elle viendra, bien sûr qu'elle viendra. » Elle est venue et ils se sont promenés sur les quais, comme ils le faisaient avant.

Il sait combien Louise leur est nécessaire mais il ne la supporte plus. Avec son physique de poupée, sa tête à claques, elle l'irrite, elle l'énerve. « Elle est si parfaite,

si délicate, que j'en ressens parfois une forme d'écœure-
ment », a-t-il un jour avoué à Myriam. Il a horreur de
sa silhouette de fillette, de cette façon qu'elle a de dis-
séquer chaque geste des enfants. Il méprise ses sombres
théories sur l'éducation et ses méthodes de grand-mère.
Il moque les photos qu'elle s'est mise à leur envoyer sur
leur téléphone portable, dix fois par jour, sur lesquelles
les enfants soulèvent en souriant leur assiette vide et où
elle commente : « J'ai tout mangé. »

Depuis l'incident du maquillage, il lui parle le moins
possible. Ce soir-là, il s'est même mis en tête de la ren-
voyer. Il a appelé Myriam pour en discuter avec elle.
Elle était au bureau, elle n'avait pas le temps pour ça.
Alors il a attendu qu'elle rentre et quand sa femme a
poussé la porte, vers 11 heures, il lui a raconté la scène,
la façon dont Louise l'avait regardé, son silence glaçant,
sa morgue.

Myriam l'a raisonné. Elle a minimisé l'affaire. Elle lui
a reproché d'avoir été trop dur, de s'être montré vexant.
De toute façon, elles se liguent toujours contre lui,
comme deux ourses. Quand il s'agit des enfants, elles
le traitent parfois avec une hauteur qui le hérisse. Elles
jouent de leur connivence de mères. Elles l'infantilisent.

Sylvie, la mère de Paul, s'est moquée d'eux. « Vous
jouez les grands patrons avec votre gouvernante. Vous
ne croyez pas que vous en faites un peu trop ? » Paul
s'est vexé. Ses parents l'ont élevé dans la détestation de
l'argent, du pouvoir et dans le respect un peu mièvre
du plus petit que soi. Lui a toujours travaillé dans la
décontraction, avec des gens dont il se sentait l'égal. Il
a toujours tutoyé son boss. Il n'a jamais donné d'ordres.

Mais Louise a fait de lui un patron. Il s'entend donner à sa femme des conseils méprisables. « Ne fais pas trop de concessions, sinon elle ne s'arrêtera jamais de réclamer », lui dit-il, le bras allongé, la main passant de son poignet à son épaule.

Dans le bain, Myriam joue avec son fils. Elle le tient entre ses cuisses, le serre contre elle et le cajole au point qu'Adam finit par se débattre et par pleurer. Elle ne peut pas se retenir de couvrir de baisers son corps potelé, ce corps parfait d'angelot. Elle le regarde et se laisse envahir par une bouffée piquante d'amour maternel. Elle se dit que bientôt elle n'osera plus se mettre ainsi, nue contre lui. Que cela ne se fera plus. Et puis, plus vite qu'elle ne le croit, elle sera vieille et lui, cet enfant rieur et choyé, sera devenu un homme.

En le déshabillant, elle a remarqué deux traces étranges, sur son bras et sur son dos, à hauteur de l'épaule. Deux cicatrices rouges et presque effacées mais sur lesquelles on devine encore ce qui ressemble à des marques de dents. Elle pose sur la blessure de doux baisers. Elle tient son fils collé contre elle. Elle lui demande pardon et le console après coup de ce chagrin survenu en son absence.

Le lendemain matin, Myriam en parle à Louise. La nounou vient à peine d'entrer dans l'appartement. Elle n'a même pas eu le temps d'enlever son manteau que

Myriam, déjà, tend vers elle le petit bras nu d'Adam. Louise ne paraît pas étonnée.

Elle hausse les sourcils, accroche son manteau et elle demande : « Paul a emmené Mila à l'école ?

— Oui, ils viennent de partir. Louise, vous avez vu ? C'est une trace de morsure, non ?

— Oui, je sais. J'ai mis un peu de crème dessus pour la cicatrisation. C'est Mila qui l'a mordu.

— Vous en êtes sûre ? Vous étiez là ? Vous l'avez vue ?

— Bien sûr que j'étais là. Ils jouaient tous les deux dans le salon pendant que je préparais à dîner. Et là, j'ai entendu Adam hurler. Il sanglotait, le pauvre, et au début, je n'ai pas compris pourquoi. Mila l'avait mordu à travers ses vêtements, c'est pour cela que je n'ai pas tout de suite su.

— Je ne comprends pas, répète Myriam, en embrassant le crâne glabre d'Adam. Je lui ai demandé plusieurs fois si c'était elle. Je lui ai même dit que je ne la punirais pas. Elle m'a juré qu'elle ne savait pas d'où venait la morsure. »

Louise soupire. Elle baisse la tête. Elle a l'air d'hésiter.

« J'avais promis de ne rien dire et l'idée de briser une promesse que j'ai faite à un enfant m'embête beaucoup. »

Elle ôte son gilet noir, déboutonne sa robe chemisier et dévoile son épaule. Myriam se penche et ne peut retenir une exclamation, de surprise et de dégoût. Elle fixe la trace brune qui couvre l'épaule de Louise. La cicatrice est ancienne mais on voit nettement la trace des petites dents qui se sont plantées dans la chair, qui l'ont lacérée.

« C'est Mila qui vous a fait ça ?

— Écoutez, j'ai promis à Mila de ne rien dire. Je vous

demande de ne pas lui en parler. Si le lien de confiance entre nous était brisé, je crois qu'elle en serait encore plus perturbée, vous ne pensez pas?

— Ah.

— Elle est un peu jalouse de son frère, c'est tout à fait normal. Laissez-moi m'en occuper, d'accord? Vous verrez, tout ira bien.

— Oui. Peut-être. Mais vraiment, je ne comprends pas.

— Vous ne devriez pas chercher à tout comprendre. Les enfants, c'est comme les adultes. Il n'y a rien à comprendre. »

Comme elle avait l'air sombre, Louise, quand Myriam lui a annoncé qu'ils allaient pour une semaine à la montagne chez les parents de Paul! Myriam y repense et elle en a des frissons. Le regard noir de Louise était traversé par un orage. Ce soir-là, la nounou est partie sans dire au revoir aux enfants. Comme un fantôme, monstrueusement discrète, elle a claqué la porte et Mila et Adam ont dit : « Maman, Louise a disparu. »

Quelques jours plus tard, à l'heure du départ, Sylvie est venue les chercher. C'était une surprise à laquelle Louise n'avait pas été préparée. La grand-mère, joyeuse, fantasque, est entrée dans l'appartement en criant. Elle a jeté son sac par terre et s'est roulée dans le lit avec les petits, en leur promettant une semaine de fêtes, de jeux et de gloutonnerie. Myriam riait des pitreries de sa belle-mère quand elle a tourné la tête. Là, debout dans la cuisine, Louise les regardait. La nounou était d'une pâleur de morte, ses yeux cerclés de cernes semblaient s'être enfoncés. Elle avait l'air de marmonner quelque chose. Myriam s'est avancée vers elle mais Louise déjà s'était accroupie pour fermer une valise. Plus tard Myriam s'est dit qu'elle s'était sans doute trompée.

Myriam essaie de se raisonner. Elle n'a aucune raison de se sentir coupable. Elle ne doit rien à sa nounou. Pourtant, sans qu'elle se l'explique, elle a l'impression d'arracher à Louise ses enfants, de lui refuser quelque chose. De la punir.

Louise a peut-être mal pris d'être informée si tard et de n'avoir pas pu organiser ses vacances. Ou elle est tout simplement contrariée que les enfants passent du temps avec Sylvie, pour qui elle a une profonde inimitié. Quand Myriam se plaint de sa belle-mère, la nounou a tendance à s'emporter. Elle prend le parti de Myriam avec une fougue excessive, accusant Sylvie d'être folle, hystérique, d'avoir une mauvaise influence sur les enfants. Elle incite sa patronne à ne pas se laisser faire, pire, à éloigner la grand-mère des pauvres petits. Dans ces moments-là, Myriam se sent à la fois soutenue et un peu mal à l'aise.

Dans la voiture, alors qu'il s'apprête à démarrer, Paul enlève la montre qu'il porte au poignet gauche.

« Tu peux la ranger dans ton sac, s'il te plaît ? » demande-t-il à Myriam.

Il s'est payé cette montre il y a deux mois, grâce au contrat signé avec son chanteur célèbre. C'est une Rolex d'occasion qu'un ami lui a obtenue pour une somme très raisonnable. Paul a beaucoup hésité avant de se l'offrir. Il en avait très envie, il la trouvait parfaite mais il avait un peu honte de ce fétichisme, de ce désir futile.

La première fois qu'il l'a portée, elle lui a semblé à la fois magnifique et énorme. Il la trouvait lourde, clinquante. Il n'arrêtait pas de tirer sur la manche de sa veste pour la cacher. Mais très vite, il s'est habitué à ce poids au bout de son bras gauche. Au fond, ce bijou, l'unique qu'il ait jamais possédé, était plutôt discret. Et puis, il avait bien le droit de se faire plaisir. Il ne l'avait volé à personne.

« Pourquoi tu enlèves ta montre ? lui demande Myriam, qui sait combien il y tient. Elle ne marche plus ?

— Si, elle marche très bien. Mais tu connais ma mère. Elle ne comprendrait pas. Et je n'ai pas envie de passer la soirée à m'engueuler pour ça. »

Ils arrivent en début de soirée dans la maison glaciale, dont la moitié des pièces sont encore en travaux. Le plafond de la cuisine menace de s'écrouler et dans la salle de bains des fils électriques pendent à nu. Myriam déteste cet endroit. Elle a peur pour ses enfants. Elle les suit dans chaque recoin de la maison, les yeux paniqués, les mains en avant, prête à les retenir dans leur chute. Elle rôde. Elle interrompt les jeux. « Mila, viens mettre un autre pull. » « Adam respire mal, vous ne trouvez pas ? »

Un matin, elle se réveille transie. Elle souffle sur les mains glacées d'Adam. Elle s'inquiète de la pâleur de Mila et lui impose de garder son bonnet à l'intérieur. Sylvie préfère se taire. Elle voudrait rendre aux enfants la sauvagerie et la fantaisie qui leur sont interdites. Pas de règles avec elle. Elle ne les couvre pas de cadeaux frivoles, comme les parents qui essaient de compenser leurs absences. Elle ne fait pas attention aux mots qu'elle prononce et sans cesse elle s'attire les réprimandes de Paul et de Myriam.

Pour faire râler sa belle-fille, elle les appelle « mes petits oiseaux tombés du nid ». Elle aime les plaindre de vivre en ville, de subir l'incivilité et la pollution. Elle voudrait élargir l'horizon de ces enfants voués à devenir des gens corrects, à la fois serviles et autoritaires. Des froussards.

Sylvie prend sur elle. Elle se retient, autant qu'elle le peut, d'aborder le sujet de l'éducation des enfants. Quelques mois auparavant, une violente dispute a opposé les deux femmes. Le genre de disputes que le temps ne suffit pas à faire oublier et dont les mots, très longtemps après, continuent de résonner en elles chaque fois qu'elles se voient. Tout le monde avait bu. Beaucoup trop. Myriam, sentimentale, a cherché en Sylvie une oreille compatissante. Elle s'est plainte de ne jamais voir ses enfants, de souffrir de cette existence effrénée où personne ne lui faisait de cadeau. Mais Sylvie ne l'a pas consolée. Elle n'a pas posé sa main sur l'épaule de Myriam. Au contraire, elle s'est lancée dans une attaque en règle contre sa belle-fille. Ses armes, apparemment, étaient bien affûtées, prêtes à être utilisées quand l'occasion se présenterait. Sylvie lui a reproché de consacrer trop de temps à son métier, elle qui pourtant a travaillé pendant toute l'enfance de Paul et s'est toujours vantée de son indépendance. Elle l'a traitée d'irresponsable, d'égoïste. Elle a compté sur ses doigts le nombre de voyages professionnels que Myriam avait faits alors même qu'Adam était malade et que Paul terminait l'enregistrement d'un album. C'était sa faute, disait-elle, si ses enfants étaient insupportables, tyranniques, capricieux. Sa faute et celle de Louise, cette nounou de pacotille, cet ersatz de mère sur qui Myriam se reposait par complaisance, par lâcheté. Myriam s'était mise à pleurer. Paul, stupéfait, ne disait rien et Sylvie levait les bras en répétant : « Et elle pleure maintenant ! Regardez-la. Elle pleure et il faudrait la plaindre parce qu'elle n'est pas capable d'entendre la vérité. »

Chaque fois que Myriam voit Sylvie, le souvenir de cette soirée l'oppresse. Elle a eu la sensation, ce soir-là, d'être assaillie, jetée à terre et criblée de coups de poignard. Myriam gisait, les tripes découvertes, devant son mari. Elle n'a pas eu la force de se défendre contre des accusations qu'elle savait en partie vraies mais qu'elle considérait comme son lot et celui de beaucoup d'autres femmes. Pas un instant il n'y a eu de place pour l'indulgence ni pour la tendresse. Pas un seul conseil n'a été prodigué de mère à mère, de femme à femme.

Pendant le petit déjeuner, Myriam a le regard rivé sur son téléphone. Elle essaie désespérément de consulter ses mails mais le réseau est trop lent et elle est furieuse au point qu'elle pourrait jeter son portable contre le mur. Hystérique, elle menace Paul de rentrer à Paris. Sylvie soulève les sourcils, visiblement excédée. Elle rêvait pour son fils d'un autre genre de femme, plus douce, plus sportive, plus fantasque. Une fille qui aurait aimé la nature, les promenades en montagne et qui ne se serait pas plainte de l'inconfort de cette charmante maison.

Pendant longtemps, Sylvie a radoté, racontant toujours les mêmes histoires sur sa jeunesse, ses engagements passés, ses compagnons révolutionnaires. Avec l'âge, elle a appris à se tempérer. Elle a surtout compris que tout le monde se fiche de ses théories fumeuses sur ce monde de vendus, ce monde d'idiots finis nourris aux écrans et à la viande d'abattage. Elle, à leur âge, ne rêvait que de faire la révolution. « Nous étions un peu naïfs, quand même », avance Dominique, son mari, qui s'attriste de la voir malheureuse. « Naïfs peut-être mais on était moins cons. » Elle sait que son mari ne comprend rien aux idéaux qu'elle nourrit et que tous tournent en dérision. Il l'écoute gentiment confier ses déceptions et ses angoisses. Elle se lamente de voir ce que son fils est devenu — « C'était un petit garçon si libre, tu te souviens ? » —, un homme vivant sous le joug de sa femme, esclave de son appétit d'argent et de sa vanité. Elle a cru, longtemps, à une révolution menée par les deux sexes et dont serait né un monde bien différent de celui dans lequel grandissent ses petits-enfants. Un monde où l'on aurait eu le temps de vivre. « Ma chérie, tu es naïve. Les femmes, lui dit Dominique, sont des capitalistes comme les autres. »

Myriam fait les cent pas dans la cuisine, cramponnée à son téléphone. Dominique, pour détendre l'atmosphère, propose d'aller en promenade. Myriam, radoucie, couvre ses enfants de trois couches de pulls, d'écharpes et de gants. Une fois dehors, les pieds dans la neige, les petits courent, émerveillés. Sylvie a apporté deux vieilles luges, qui ont appartenu à Paul et à son frère Patrick quand ils étaient enfants. Myriam fait un effort pour ne pas s'inquiéter et elle regarde, le souffle coupé, les petits dévaler une pente.

« Ils vont se briser le cou », pense-t-elle, et elle en pleurerait. « Louise, elle, me comprendrait », ne cesse-t-elle de se répéter.

Paul s'enthousiasme, il encourage Mila qui lui fait de grands signes et qui dit : « Regarde, papa. Regarde comme je sais faire de la luge ! » Ils déjeunent dans une auberge charmante, où crépite un feu dans la cheminée. Ils s'installent à l'écart, contre une vitre à travers laquelle un soleil éclatant vient lécher les joues roses des enfants. Mila est volubile et les adultes rient des pitreries de la petite fille. Adam, pour une fois, mange avec grand appétit.

Ce soir-là, Myriam et Paul accompagnent les enfants, épuisés, dans leur chambre. Mila et Adam sont calmes, les membres fourbus, l'âme remplie de découvertes et de joie. Les parents s'attardent auprès d'eux. Paul est assis par terre et Myriam au bord du lit de sa fille. Elle rajuste avec douceur les couvertures, caresse ses cheveux. Pour la première fois depuis longtemps, les parents entonnent ensemble l'air d'une berceuse dont ils avaient appris les paroles par cœur à la naissance de Mila et qu'ils avaient l'habitude de lui chanter en duo quand elle était bébé. Les paupières des enfants sont fermées mais ils chantent encore pour le plaisir d'accompagner leurs rêves. Pour ne pas les quitter.

Paul n'ose pas le dire à sa femme mais, cette nuit-là, il se sent soulagé. Depuis qu'il est arrivé ici, un poids semble avoir disparu de sa poitrine. Dans un demi-sommeil, engourdi par le froid, il pense au retour à Paris. Il imagine son appartement comme un aquarium envahi d'algues pourrissantes, une fosse où l'air ne circulerait plus, où des animaux à la fourrure pelée tourneraient en rond en râlant.

Au retour, ces idées noires sont vite oubliées. Dans le salon, Louise a disposé un bouquet de dahlias. Le dîner est prêt, les draps sentent la lessive. Après une semaine dans des lits glacés, à manger sur la table de la cuisine des repas désordonnés, ils retrouvent avec bonheur leur confort familial. Impossible, pensent-ils, de se passer d'elle. Ils réagissent comme des enfants gâtés, des chats domestiques.

Quelques heures après le départ de Paul et de Myriam, Louise revient sur ses pas et remonte la rue d'Hauteville. Elle entre dans l'appartement des Massé et elle rouvre les volets que Myriam avait fermés. Elle change tous les draps, vide les placards et nettoie les étagères. Elle secoue le vieux tapis berbère dont Myriam refuse de se défaire, passe l'aspirateur.

Son devoir accompli, elle s'assoit sur le canapé et somnole. Elle ne sort pas de toute la semaine et reste la journée entière dans le salon, la télévision allumée. Elle ne se couche jamais dans le lit de Paul et de Myriam. Elle vit sur le canapé. Pour ne rien dépenser, elle mange ce qu'elle trouve dans le frigidaire et entame un peu les réserves du cellier, dont Myriam n'a sans doute aucune idée.

Les émissions de cuisine succèdent aux informations, aux jeux, aux émissions de télé-réalité, à un talk-show qui la fait rire. Elle s'endort devant *Enquêtes criminelles*. Un soir, elle suit l'affaire d'un homme retrouvé mort dans son pavillon, à la sortie d'une petite ville de montagne. Les volets étaient fermés depuis des mois, la boîte aux lettres débordait et, pourtant, personne ne s'est demandé ce qu'était devenu le propriétaire de ce logement. Ce n'est qu'à l'occasion d'une évacuation du quartier que les pompiers ont fini par ouvrir la porte et découvrir le cadavre. Le corps était quasiment momifié, à cause de la fraîcheur de la pièce et de l'atmosphère confinée. À plusieurs reprises, la voix off insiste sur le fait que la date du décès n'a pu être établie que grâce aux yaourts se trouvant dans le frigidaire et dont la date de péremption remontait à plusieurs mois.

Un après-midi, Louise se réveille en sursaut. Elle a dormi de ce sommeil si lourd qu'on en sort triste, désorienté, le ventre plein de larmes. Un sommeil si profond, si noir, qu'on s'est vu mourir, qu'on est trempé d'une sueur glacée, paradoxalement épuisé. Elle s'agite, se redresse, se frappe le visage. Elle a si mal à la tête qu'elle peine à ouvrir les yeux. On pourrait presque entendre le bruit de son cœur qui cogne. Elle cherche ses chaussures. Elle glisse sur le parquet, pleure de rage. Elle est en retard. Les enfants vont l'attendre, l'école va appeler, le jardin d'enfants va prévenir Myriam de son absence. Comment a-t-elle pu s'endormir? Comment a-t-elle pu être aussi imprévoyante? Il faut qu'elle sorte, qu'elle coure mais elle ne trouve pas les clés de l'appartement. Elle cherche partout, finit par les apercevoir sur la cheminée. Déjà, elle est dans l'escalier, la porte de l'immeuble claque derrière elle. Dehors, elle a l'impression que tout le monde la regarde et elle dévale la rue, essoufflée, comme folle. Elle pose sa main sur son ventre, un point de côté lui fait affreusement mal mais elle ne ralentit pas.

Il n'y a personne pour faire traverser la rue. D'habitude, il y a toujours quelqu'un, en gilet fluorescent, une petite pancarte à la main. Soit ce jeune homme édenté qu'elle soupçonne de sortir de prison, soit cette grande femme noire qui connaît les prénoms des enfants. Personne non plus devant l'école. Louise est seule, comme une idiote. Un goût aigre lui pique la langue, elle a envie de vomir. Les enfants ne sont pas là. Elle marche la tête basse à présent, en larmes. Les enfants sont en vacances. Elle est seule, elle a oublié. Elle se tape le front, paniquée.

Wafa l'appelle plusieurs fois par jour, « juste comme ça, pour discuter ». Un soir, elle propose de passer chez Louise. Ses patrons aussi sont partis en vacances et pour une fois, elle est libre de faire ce qu'elle veut. Louise se demande ce que Wafa lui trouve. Elle a du mal à croire qu'on puisse chercher sa compagnie avec tant d'ardeur. Mais son cauchemar de la veille la hante encore et elle accepte.

Elle donne rendez-vous à son amie en bas de l'immeuble des Massé. Dans le hall, Wafa parle fort de la surprise qu'elle cache là, dans ce grand sac en plastique tressé. Louise lui fait signe de se taire. Elle a peur qu'on les entende. Solennelle, elle gravit les étages et ouvre la porte de l'appartement. Le salon lui paraît triste à mourir et elle appuie ses paumes sur ses yeux. Elle a envie de rebrousser chemin, de pousser Wafa dans l'escalier, de revenir à la télévision qui crache sa rassurante pâtée d'images. Mais Wafa a posé son sac en plastique sur le plan de travail de la cuisine et elle en sort des sachets d'épices, un poulet et une de ses boîtes en verre dans lesquelles elle cache ses gâteaux au miel. « Je vais cuisiner pour toi, tu veux ? »

Pour la première fois de sa vie, Louise s'assoit sur le canapé et regarde quelqu'un cuisiner pour elle. Même enfant, elle ne se souvient pas d'avoir vu quelqu'un faire ça, juste pour elle, juste pour lui faire plaisir. Petite, elle mangeait le reste des plats des autres. On lui servait une soupe tiède le matin, une soupe réchauffée jour après jour, jusqu'à la dernière goutte. Elle devait la manger en entier malgré la graisse figée sur les bords de l'assiette, malgré ce goût de tomates sures, d'os rongé.

Wafa leur sert une vodka dans laquelle elle verse du jus de pomme glacé. « L'alcool, j'aime ça quand c'est sucré », dit-elle en faisant claquer son verre contre celui de Louise. Wafa est restée debout. Elle soulève les bibelots, regarde les rayons de la bibliothèque. Une photographie attire son attention.

« C'est toi là ? Tu es belle dans cette robe orange. » Sur le cliché, Louise, les cheveux lâchés, sourit. Elle est assise sur un muret et elle tient un enfant dans chaque bras. Myriam a insisté pour mettre cette photographie dans le salon, sur une des étagères. « Vous faites partie de la famille », a-t-elle dit à la nounou.

Louise se souvient très bien du moment où Paul a pris cette photo. Myriam était entrée dans une boutique de céramiques et elle avait du mal à se décider. Dans l'étroite rue commerçante, Louise gardait les enfants.

Mila s'était mise debout sur le muret. Elle essayait d'attraper un chat gris. C'est à ce moment-là que Paul a dit : « Louise, les enfants, regardez-moi. La lumière est très belle. » Mila s'est assise contre Louise et Paul a crié : « Maintenant, souriez ! »

« Cette année, raconte Louise, nous allons retourner en Grèce. Là, à Sifnos », ajoute-t-elle, en montrant la photo du bout de son ongle peint. Ils n'en ont pas encore parlé mais Louise est certaine qu'ils iront à nouveau sur leur île, nager dans les eaux transparentes et dîner sur le port, à la lueur des bougies. Myriam fait des listes, explique-t-elle à Wafa, qui s'est assise par terre, aux pieds de son amie. Des listes, qui traînent dans le salon et jusque dans les draps de leur lit et sur lesquelles elle a inscrit qu'ils repartiront bientôt. Ils iront marcher dans les calanques. Ils attraperont des crabes, des oursins et des concombres de mer que Louise regardera se rétracter au fond d'un seau. Elle nagera, de plus en plus loin, et Adam cette année la rejoindra.

Et puis, la fin du séjour approchera. La veille du départ, ils iront sans doute dans ce restaurant que Myriam avait tant aimé et où la patronne avait fait choisir aux enfants des poissons encore vivants sur l'étal. Là, ils boiront un peu de vin et Louise leur annoncera sa décision de ne pas rentrer. « Je ne prendrai pas l'avion demain. Je vais vivre ici. » Évidemment, ils seront surpris. Ils ne la prendront pas au sérieux. Ils se mettront à rire, parce qu'ils auront trop bu ou qu'ils seront mal à l'aise. Et puis, face à la détermination de la nounou, ils s'inquiéteront. Ils essaieront de la raisonner. «Mais enfin, Louise, ça n'a aucun sens. Vous ne pouvez pas rester ici. Et de quoi est-ce que vous vivrez?» Et là, ce sera au tour de Louise de rire.

«Bien sûr, j'ai pensé à l'hiver.» L'île, alors, change sans doute de visage. Cette roche sèche, ces massifs d'origan et de chardons doivent paraître hostiles dans la lumière de novembre. Il doit faire sombre, là-haut, quand s'abattent les premières averses. Mais elle n'en démord pas, personne ne lui fera faire le chemin du retour. Elle changera d'île, peut-être, mais elle ne reviendra pas en arrière.

«Ou bien je ne dirai rien. Je disparaîtrai d'un coup, comme ça», dit-elle en claquant des doigts.

Wafa écoute Louise parler de son projet. Elle imagine sans peine ces horizons bleus, ces ruelles pavées, ces bains matinaux. Elle en éprouve une terrible nostalgie. Le récit de Louise réveille des souvenirs, l'odeur piquante de l'Atlantique le soir sur la corniche, les levers de soleil auxquels toute la famille assistait pendant le ramadan. Mais Louise, brusquement, se met à rire et brise le songe dans lequel Wafa s'est égarée. Elle rit, comme une petite fille timide qui cache ses dents derrière ses doigts et elle tend la main à son amie qui vient s'asseoir près d'elle, sur le canapé. Elles lèvent leur verre et elles trinquent. Elles ressemblent à présent à deux jeunes filles, deux camarades d'école rendues complices par une plaisanterie, par un secret qu'elles se seraient confié. Deux enfants, perdues dans un décor d'adultes.

Wafa a des instincts de mère ou de sœur. Elle pense à lui faire boire un verre d'eau, à préparer un café, à lui faire manger quelque chose. Louise étend les jambes et croise les pieds sur la table. Wafa regarde la semelle sale de Louise, posée à côté de son verre, et elle se dit que son amie doit être ivre pour se comporter ainsi. Elle a toujours admiré les manières de Louise, ses gestes compassés et polis, qui pourraient la faire passer pour une vraie bourgeoise. Wafa pose ses pieds nus sur le rebord de la table. Et d'un ton grivois, elle demande :

« Peut-être que tu rencontreras quelqu'un sur ton île ? Un beau Grec, qui tomberait amoureux de toi.

— Oh non, lui répond Louise. Si je vais là-bas, c'est pour ne plus m'occuper de personne. Dormir quand je veux, manger ce dont j'ai envie. »

Au début, il était prévu de ne rien faire pour le mariage de Wafa. Ils se contenteraient d'aller à la mairie, de signer les documents et Wafa verserait chaque mois à Youssef ce qu'elle lui doit jusqu'à l'obtention de ses papiers français. Mais le futur époux a fini par changer d'avis. Il a convaincu sa mère, qui ne demandait pas mieux, qu'il était plus décent d'inviter quelques amis. « C'est mon mariage quand même. Et puis, on ne sait jamais, ça va peut-être rassurer les services de l'immigration. »

Un vendredi matin, ils se donnent rendez-vous devant la mairie de Noisy-le-Sec. Louise, qui est témoin pour la première fois, porte son col Claudine bleu ciel et une paire de boucles d'oreilles. Elle signe au bas de la feuille que lui tend le maire et le mariage a l'air presque vrai. Les hourras, les « Vive les mariés ! », les applaudissements semblent même sincères.

La petite troupe marche jusqu'au restaurant, La Gazelle d'Agadir, que tient un ami de Wafa et dans lequel il lui est arrivé de travailler comme serveuse. Louise observe les gens, debout, qui gesticulent, qui rient en se donnant de grandes tapes sur l'épaule. Devant le restaurant, les frères de Youssef ont garé une berline noire sur laquelle ils ont accroché des dizaines de rubans en plastique doré.

Le patron du restaurant a mis de la musique. Il ne s'inquiète pas des voisins, il pense au contraire qu'ainsi il se fera connaître, que les gens, en passant dans la rue, regarderont à travers la vitre les tables dressées, qu'ils envieront la gaieté des convives. Louise observe les femmes dont elle remarque surtout les visages larges, les mains épaisses, les hanches imposantes que des ceintures trop serrées mettent en valeur. Elles parlent fort, elles rient, elles s'appellent d'un bout à l'autre de la salle. Elles entourent Wafa qu'on a assise à la table principale et qui, comprend Louise, n'a pas le droit d'en bouger.

On a installé Louise dans le fond de la salle, loin de la vitre qui donne sur la rue, à côté d'un homme que, ce matin, Wafa lui a présenté. « Je t'avais parlé d'Hervé. Il a fait les travaux dans ma chambre de bonne. Il ne travaille pas loin du quartier. » Wafa a fait exprès de l'asseoir à côté de lui. C'est le genre d'homme qu'elle mérite. Le type dont personne ne veut mais que Louise prend, elle, comme elle prend les vieux vêtements, les magazines déjà lus auxquels manquent des pages et même les gaufres entamées par les enfants.

Hervé ne lui plaît pas. Les regards appuyés de Wafa la gênent. Elle déteste cette sensation d'être épiée, prise au piège. Et puis l'homme est si banal. Il a si peu pour plaire. D'abord, il est à peine plus grand que Louise. Des jambes musclées mais courtes et des hanches étroites. Presque pas de cou. Quand il parle, il rentre

144

parfois la tête dans les épaules comme une tortue timide. Louise n'arrête pas de regarder ses mains posées sur la table, des mains de travailleur, des mains de pauvre, de fumeur. Elle a remarqué qu'il lui manquait des dents. Il n'est pas distingué. Il sent le concombre et le vin. La première chose qu'elle pense, c'est qu'elle aurait honte de le présenter à Myriam et à Paul. Ils seraient déçus. Elle est sûre qu'ils penseraient que cet homme n'est pas assez bien pour elle.

Hervé au contraire dévisage Louise avec l'appétit d'un vieillard pour une jeune fille qui aurait montré un peu d'intérêt. Il la trouve si élégante, si délicate. Il détaille la finesse de son col, la légèreté de ses boucles d'oreilles. Il observe ses mains qu'elle a posées sur ses genoux et qu'elle tord, ses petites mains blanches aux ongles roses, ses mains qui ont l'air de n'avoir pas souffert, de n'avoir pas trimé. Louise le fait penser à ces poupées de porcelaine qu'il a vues, assises sur des étagères, dans les appartements de vieilles où il lui est arrivé de rendre des services ou de faire des travaux. Comme ces jouets, les traits de Louise sont presque fixes, elle a parfois des attitudes figées absolument charmantes. Une manière de regarder dans le vide qui donne à Hervé envie de la rappeler à lui.

Il lui parle de son métier. Chauffeur livreur, mais pas à plein temps. Il rend aussi des services, fait des réparations ou des déménagements. Trois jours par semaine, il fait du gardiennage dans le parking d'une banque, boulevard Haussmann. « Ça me laisse le temps de lire, dit-il. Des polars, mais pas seulement. » Elle ne sait pas quoi répondre quand il lui demande ce qu'elle lit, elle.

« La musique alors ? Tu aimes la musique ? »

Lui en est fou et il fait, avec ses petits doigts violets, le geste de pincer les cordes d'une guitare. Il parle d'avant, d'autrefois, de l'époque où on écoutait de la musique en bande, où les chanteurs étaient ses idoles. Il avait les cheveux longs, il vénérait Jimi Hendrix. « Je te montrerai une photo », dit-il. Louise se rend compte qu'elle n'a jamais écouté de musique. Elle n'en a jamais eu le goût. Elle ne connaît que les comptines, les chansons aux rimes pauvres que l'on se transmet de mère en fille. Un soir, Myriam l'a surprise en train de fredonner un air avec les enfants. Elle lui a dit qu'elle avait une très belle voix. « C'est dommage, vous auriez pu chanter. »

Louise n'a pas remarqué que la plupart des invités ne boivent pas d'alcool. Au centre des tables sont posées une bouteille de soda et une grande carafe d'eau. Hervé a caché une bouteille de vin par terre, à sa droite, et il ressert Louise dès que son verre est vide. Elle boit doucement. Elle finit par s'habituer à la musique assourdissante, aux hurlements de l'assistance, aux incompréhensibles discours des jeunes garçons qui collent leurs lèvres contre le micro. Elle sourit même en observant Wafa et elle en oublie que tout cela n'est rien d'autre qu'une mascarade, un jeu de dupes, une mystification.

Elle boit et l'inconfort de vivre, la timidité de respirer, toute cette peine fond dans les verres qu'elle sirote, du bout des lèvres. La banalité du restaurant, celle d'Hervé, tout prend une tournure nouvelle. Hervé a une voix douce et il sait se taire. Il la regarde et il sourit, les yeux baissés vers la table. Quand il n'a rien à dire, il ne dit rien. Ses petits yeux sans cils, ses cheveux rares, sa peau violacée, ses manières ne déplaisent plus tant à Louise.

Elle accepte qu'Hervé la raccompagne et ils marchent ensemble jusqu'à la bouche du métro. Elle dit au revoir et elle descend les marches sans se retourner. Sur le chemin du retour, Hervé pense à elle. Elle l'habite comme l'air entêtant d'une chanson en anglais, lui qui n'y comprend rien et qui, malgré les années, continue d'écorcher ses refrains préférés.

Comme tous les matins, à 7 h 30, Louise ouvre la porte de l'appartement. Paul et Myriam sont debout dans le salon. Ils ont l'air de l'avoir attendue. Myriam a le visage d'une bête affamée qui aurait tourné en rond dans sa cage toute la nuit. Paul allume la télévision et pour une fois il autorise les enfants à regarder des dessins animés avant d'aller à l'école.

« Vous restez ici. Vous ne bougez pas », ordonne-t-il aux petits qui fixent, hypnotisés, la bouche ouverte, une bande de lapins hystériques.

Les adultes s'enferment dans la cuisine. Paul demande à Louise de s'asseoir.

« Je vous fais un café ? propose la nounou.

— Non, ça ira, merci », répond sèchement Paul.

Derrière lui, Myriam garde les yeux baissés. Elle a porté sa main à ses lèvres. « Louise, nous avons reçu un courrier qui nous a mis dans l'embarras. Je dois vous avouer que nous sommes très contrariés par ce que nous avons appris. Il y a des choses qu'on ne peut pas tolérer. »

Il a parlé sans reprendre son souffle, le regard fixé sur l'enveloppe qu'il tient entre les mains.

Louise arrête de respirer. Elle ne sent même plus sa langue et doit se mordre la lèvre pour ne pas pleurer. Elle voudrait faire comme les enfants, se boucher les oreilles, crier, se rouler par terre, tout, pourvu qu'ils n'aient pas cette conversation. Elle essaie d'identifier le courrier que Paul tient entre ses doigts mais elle ne voit rien, ni l'adresse ni le contenu.

D'un coup, elle se persuade que la lettre vient de Mme Grinberg. La vieille harpie l'a sans doute épiée en l'absence de Paul et de Myriam et maintenant elle joue les corbeaux. Elle a écrit une lettre de dénonciation, elle crache ses calomnies pour se distraire de sa solitude. Elle a raconté, c'est certain, que Louise a passé les vacances ici. Qu'elle a reçu Wafa. Si ça se trouve, elle ne l'a même pas signée, cette lettre, pour ajouter au mystère et à la méchanceté. Et puis elle a sans doute inventé des choses, elle a couché sur le papier ses fantasmes de petite vieille, ses délires séniles et lubriques. Louise ne le supportera pas. Non, elle ne supportera pas le regard de Myriam, le regard dégoûté de sa patronne qui croira qu'elle a dormi dans leur lit, qu'elle s'est moquée d'eux.

Louise s'est raidie. Ses doigts sont crispés par la haine et elle cache ses mains sous ses genoux pour en dissimuler le tremblement. Son visage et sa gorge sont blêmes. Elle passe ses mains dans ses cheveux dans un geste de rage. Paul, qui attendait une réaction, poursuit.

« Cette lettre vient du Trésor public, Louise. Ils nous demandent de saisir sur votre salaire la somme que vous leur devez, apparemment depuis des mois. Vous n'avez jamais répondu à aucune lettre de relance ! »

Paul jurerait avoir perçu du soulagement dans le regard de la nounou.

« Je me rends bien compte que le procédé est très humiliant pour vous mais ce n'est pas agréable pour nous non plus, figurez-vous. »

Paul tend la lettre à Louise, qui reste immobile.

« Regardez. »

Louise saisit l'enveloppe et en extrait la feuille, les mains moites, tremblantes. Sa vision est brouillée, elle fait semblant de lire mais elle n'y comprend rien.

« S'ils en arrivent là, c'est en dernier recours, vous comprenez ? Vous ne pouvez pas vous montrer aussi négligente, explique Myriam.

— Je suis désolée, dit-elle. Je suis désolée, Myriam. Je vais arranger ça, je vous le promets.

— Je peux vous aider si vous en avez besoin. Il faudrait m'apporter tous les documents pour qu'on puisse trouver une solution. »

Louise se frotte la joue, la paume ouverte, le regard perdu. Elle sait qu'il faudrait dire quelque chose. Elle aimerait prendre Myriam dans ses bras, la serrer, demander de l'aide. Elle voudrait lui dire qu'elle est seule, si seule, et que tant de choses sont arrivées, tant de choses qu'elle n'a pas pu raconter mais qu'à elle, elle voudrait dire. Elle est confuse, tremblante. Elle ne sait pas comment se comporter.

Louise fait bonne figure. Elle plaide le malentendu. Invoque une histoire de changement d'adresse. Elle rejette la faute sur Jacques, son mari, qui était si peu prévoyant et si secret. Elle nie, contre la réalité, contre l'évidence.

Son discours est si confus et si pathétique que Paul lève les yeux au ciel.

« D'accord, d'accord. Ce sont vos affaires, alors réglez-les. Je ne veux plus jamais recevoir ce type de courrier. » Les lettres l'ont suivie de la maison de Jacques jusqu'à son studio et, pour finir, ici, dans son domaine, dans cette maison qui ne tient que par elle. Ils ont envoyé ici les factures impayées pour le traitement de Jacques, la taxe d'habitation majorée et d'autres arriérés de crédit dont Louise ignore à quoi ils correspondent. Elle a pensé naïvement qu'ils finiraient par abandonner face à son silence. Qu'elle devait faire la morte, elle qui de toute façon ne représente rien, ne possède rien. Qu'est-ce que ça peut leur faire ? Qu'ont-ils besoin de la traquer ?

Les lettres, elle sait où elles sont. Un tas d'enveloppes qu'elle n'a pas jetées, qui sont posées sous le compteur électrique. Elle voudrait y mettre le feu. De toute façon elle ne comprend rien à ces phrases interminables, à ces tableaux qui s'étalent sur des pages, à ces colonnes de chiffres dont le montant ne cesse de grossir. Comme quand elle aidait Stéphanie à faire ses devoirs. Elle faisait des dictées. Elle essayait de l'aider à résoudre des problèmes de mathématiques. Sa fille se moquait d'elle en riant : « Qu'est-ce que tu y connais de toute façon ? Tu es nulle. »

Ce soir-là, après avoir mis les enfants en pyjama, Louise s'attarde dans leur chambre. Myriam l'attend dans l'entrée, droite. « Vous pouvez y aller maintenant. Nous nous verrons demain. » Louise voudrait tellement rester. Dormir là, au pied du lit de Mila. Elle ne ferait pas de bruit, elle ne dérangerait personne. Louise ne veut pas retourner dans son studio. Chaque soir, elle rentre un peu plus tard et elle marche dans la rue, les yeux baissés, son écharpe relevée jusqu'au menton. Elle a peur de rencontrer son propriétaire, un vieux type aux cheveux roux et aux yeux injectés de sang. Un radin qui ne lui a fait confiance que « parce que louer à une Blanche dans ce quartier, c'est quasiment inespéré ». Il doit le regretter maintenant.

Dans le RER, elle serre les dents pour s'empêcher de pleurer. Une pluie glaciale, insidieuse, imprègne son manteau, ses cheveux. De lourdes gouttes tombent des porches, glissent sur son cou, la font frissonner. Arrivée au coin de sa rue, pourtant déserte, elle sent qu'on l'observe. Elle se retourne, mais il n'y a personne. Puis, dans la pénombre, entre deux voitures, elle aperçoit un homme, accroupi. Elle voit ses deux cuisses nues, ses mains énormes posées sur ses genoux. Une main tient un journal. Il la regarde. Il n'a l'air ni hostile ni gêné. Elle recule, prise d'une atroce nausée. Elle a envie de hurler, de prendre quelqu'un à témoin. Un homme chie dans sa rue, sous son nez. Un homme qui apparemment n'a même plus honte et doit avoir l'habitude de faire ses besoins sans pudeur et sans dignité.

Louise court jusqu'à la porte de son immeuble et monte les escaliers en tremblant. Elle range tout. Elle change ses draps. Elle voudrait se laver, rester longtemps sous un jet d'eau chaude pour se réchauffer, mais il y a quelques jours la douche s'est affaissée et elle est inutilisable. Sous la vasque, le bois, pourri, a cédé et la douche s'est quasiment écroulée. Depuis elle se lave dans l'évier, avec un gant. Elle s'est fait un shampooing il y a trois jours, assise sur la chaise en formica.

Couchée dans son lit, elle ne parvient pas à dormir. Elle n'arrête pas de penser à cet homme dans l'ombre. Elle ne peut pas s'empêcher d'imaginer que bientôt, c'est d'elle qu'il s'agira. Qu'elle se retrouvera dans la rue. Que même cet appartement immonde, elle sera obligée de le quitter et qu'elle chiera dans la rue, comme un animal.

Le lendemain matin, Louise ne réussit pas à se lever. Toute la nuit, elle a eu de la fièvre, au point de claquer des dents. Sa gorge est gonflée, pleine d'aphtes. Même sa salive lui paraît impossible à avaler. Il est à peine 7 h 30 quand le téléphone se met à sonner. Elle ne répond pas. Elle voit pourtant le nom de Myriam s'afficher sur l'écran. Elle ouvre les yeux, tend le bras vers l'appareil et raccroche. Elle enfonce son visage dans l'oreiller.

Le téléphone sonne à nouveau.

Cette fois, Myriam laisse un message. « Bonjour Louise, j'espère que vous allez bien. Là, il est presque 8 heures. Mila est malade depuis hier soir, elle a de la fièvre. J'ai une affaire très importante, je vous avais dit que je plaidais aujourd'hui. J'espère que tout va bien, qu'il n'est rien arrivé. Rappelez-moi dès que vous avez ce message. On vous attend. » Louise jette l'appareil à ses pieds. Elle se roule dans la couverture. Elle essaie d'oublier qu'elle a soif et atrocement envie d'uriner. Elle ne veut pas bouger d'ici.

Elle a poussé son lit contre le mur, pour mieux profiter

154

de la faible chaleur du radiateur. Couchée comme ça, son nez est presque collé contre la vitre. Les yeux tournés vers les arbres décharnés de la rue, elle ne trouve plus d'issue à rien. Elle a l'étrange certitude qu'il est inutile de se battre. Qu'elle ne peut que se laisser flotter, envahir, dépasser, rester passive face aux circonstances. La veille elle a ramassé les enveloppes. Elle les a ouvertes et déchirées, une à une. Elle a jeté les morceaux dans l'évier et elle a ouvert le robinet. Une fois mouillés, les bouts de papier se sont agglutinés et ont formé une pâte immonde qu'elle a regardée se désagréger sous le filet d'eau brûlante. Le téléphone sonne, encore et encore. Louise a jeté le portable sous un coussin mais la sonnerie stridente l'empêche de se rendormir.

Dans l'appartement, Myriam piétine, affolée, sa robe d'avocat posée sur le fauteuil rayé. « Elle ne reviendra pas, dit-elle à Paul. Ce ne serait pas la première fois qu'une nounou disparaît du jour au lendemain. Des histoires comme ça, j'en ai entendu plein. » Elle essaie de rappeler et face au silence de Louise elle se sent complètement démunie. Elle s'en prend à Paul. Elle l'accuse d'avoir été trop dur, d'avoir traité Louise comme une simple employée. « Nous l'avons humiliée », conclut-elle.

Paul tente de raisonner sa femme. Louise a peut-être un problème, il est sans doute arrivé quelque chose. Jamais elle n'aurait osé les laisser comme ça, sans explications. Elle qui est tellement attachée aux enfants ne pourrait pas partir sans dire au revoir. « Au lieu d'échafauder des scénarios délirants, tu devrais chercher son adresse. Regarde sur son contrat. Si elle n'a pas répondu dans une heure, je vais chez elle. »

Myriam est accroupie, en train de fouiller dans les tiroirs, quand le téléphone sonne. D'une voix à peine audible, Louise présente ses excuses. Elle est si malade qu'elle n'a pas réussi à sortir du lit. Elle s'est rendormie au matin et n'a pas entendu son téléphone. Dix fois au moins elle répète : « Je suis désolée. » Myriam est prise de court par cette explication si simple. Elle se sent un peu honteuse de n'avoir pas pensé à ça, un banal problème de santé. Comme si Louise était infaillible, que son corps ne pouvait pas connaître la fatigue ou la maladie. « Je comprends, répond Myriam. Reposez-vous, nous allons trouver une solution. »

Paul et Myriam appellent des amis, des collègues, leur famille. Quelqu'un finit par leur donner le numéro d'une étudiante « qui peut dépanner » et qui, par chance, accepte de se déplacer immédiatement. La jeune fille, une jolie blonde de vingt ans, n'inspire pas confiance à Myriam. En entrant dans l'appartement, elle ôte lentement ses bottines à talons. Myriam remarque qu'elle a un affreux tatouage dans le cou. Aux recommandations de Myriam, elle répond « Oui » sans avoir l'air de rien comprendre, comme pour se débarrasser de cette patronne nerveuse et insistante. Avec Mila, qui somnole sur le canapé, elle surjoue la complicité. Elle mime l'inquiétude maternelle, elle qui n'a même pas fini d'être une enfant.

Mais c'est le soir, quand elle rentre chez elle, que Myriam est le plus accablée. L'appartement est dans un désordre immonde. Des jouets traînent partout dans le salon. La vaisselle sale a été jetée dans l'évier. De la purée de carottes a séché sur la petite table. La jeune fille se lève, soulagée comme un prisonnier qu'on libère de l'étau de sa cellule. Elle empoche les billets et court vers la porte, son portable à la main. Plus tard, Myriam découvre sur le balcon une dizaine de mégots de cigarettes roulées et sur la commode bleue, dans la chambre des enfants, une glace au chocolat qui a fondu, abîmant la peinture du meuble.

Pendant trois jours, Louise fait des cauchemars. Elle ne sombre pas dans le sommeil mais dans une léthargie perverse, où ses idées se brouillent, où son malaise s'amplifie. La nuit, elle est habitée par un hurlement intérieur qui lui déchire les entrailles. La chemise collée au torse, les dents qui grincent, elle creuse le matelas du canapé-lit. Elle a l'impression que son visage est maintenu sous le talon d'une botte, que sa bouche est pleine de terre. Ses hanches s'agitent comme la queue d'un têtard. Elle est totalement épuisée. Elle se réveille pour boire et aller aux toilettes, et retourne dans sa niche.

Elle émerge du sommeil comme on remonte des profondeurs, quand on a nagé trop loin, que l'oxygène manque, que l'eau n'est plus qu'un magma noir et gluant et qu'on prie pour avoir assez d'air encore, assez de force pour regagner la surface et prendre une vorace inspiration.

Dans son petit carnet à la couverture fleurie, elle a noté le terme qu'avait utilisé un médecin de l'hôpital Henri-Mondor. « Mélancolie délirante ». Louise avait trouvé ça beau et dans sa tristesse s'était subitement introduite une touche de poésie, une évasion. Elle l'a noté, de son écriture étrange, faite de majuscules tordues et appuyées. Sur les feuilles de ce petit carnet, les mots ressemblent à ces branlants édifices en bois qu'Adam construit pour le seul plaisir de les voir s'écrouler.

Pour la première fois, elle pense à la vieillesse. Au corps qui se met à dérailler, aux gestes qui font mal jusqu'au fond des os. Aux frais médicaux qui grossissent. Et puis l'angoisse d'une vieillesse morbide, couchée, malade, dans l'appartement aux vitres sales. C'est devenu une obsession. Elle hait cet endroit. L'odeur de la moisissure qui s'échappe de la cabine de douche l'obsède. Elle la sent jusque dans sa bouche. Tous les joints, tous les interstices se sont remplis de mousse verdâtre et elle a beau les gratter avec rage, elle renaît dans la nuit, plus dense que jamais.

Une haine monte en elle. Une haine qui vient contrarier ses élans serviles et son optimisme enfantin. Une haine qui brouille tout. Elle est absorbée dans un rêve triste et confus. Hantée par l'impression d'avoir trop vu, trop entendu de l'intimité des autres, d'une intimité à laquelle elle n'a jamais eu droit. Elle n'a jamais eu de chambre à elle.

Après deux nuits d'angoisse, elle se sent prête à reprendre le travail. Elle a maigri et son visage de petite fille, pâle et creusé, s'est allongé comme sous les coups. Elle se coiffe, se maquille. Elle se calme à coups d'ombre à paupières mauve.

À 7 h 30, elle ouvre la porte de l'appartement rue

d'Hauteville. Mila, dans son pyjama bleu, court vers la nounou. Elle lui saute dans les bras. Elle dit : « Louise, c'est toi ! Tu es revenue ! »

Dans les bras de sa mère, Adam se débat. Il a entendu la voix de Louise, il a reconnu son odeur de talc, le bruit léger de son pas sur le parquet. Il pousse de ses petites mains le torse de sa mère qui, souriante, offre son enfant à la tendresse de Louise.

Dans le frigidaire de Myriam, il y a des boîtes. De toutes petites boîtes, posées les unes sur les autres. Il y a des bols, recouverts de papier aluminium. Sur les étagères en plastique, on trouve de petits morceaux de citron, un bout défraîchi de concombre, un quart d'oignon dont l'odeur envahit la cuisine dès qu'on ouvre la porte du frigo. Un morceau de fromage, dont il ne reste que de la croûte. Dans les boîtes, Myriam trouve quelques petits pois qui ont perdu leur rondeur et leur vert éclatant. Trois pâtes. Une cuillerée de bouillie. Un effiloché de dinde qui ne nourrirait pas un moineau mais que Louise a quand même pris le soin de ranger.

C'est, pour Paul et Myriam, un sujet de plaisanteries. Cette lubie de Louise, cette phobie de jeter la nourriture, commence par les faire rire. La nounou racle les boîtes de conserve, elle fait lécher les pots de yaourt aux enfants. Ses employeurs trouvent cela ridicule et touchant.

Paul se moque de Myriam quand elle descend, en pleine nuit, les poubelles qui contiennent des restes non consommés ou un jouet de Mila qu'ils n'ont pas le courage de réparer. « Tu as peur de te faire gronder par Louise, reconnais-le ! » et il la poursuit dans la cage d'escalier en riant.

Ils s'amusent de voir Louise étudier avec une grande concentration les prospectus déposés dans la boîte aux lettres par les enseignes du quartier et qu'ils ont, machinalement, l'habitude de jeter. La nounou collectionne les bons de réduction qu'elle présente fièrement à Myriam et cette dernière a honte de trouver ça idiot. D'ailleurs Myriam prend Louise pour exemple devant son mari et ses enfants. « Louise a raison. C'est nul de gaspiller. Il y a des enfants qui n'ont rien à manger. »

Mais au bout de quelques mois, cette manie devient un sujet de tensions. Myriam reproche à Louise ses obsessions. Elle se plaint de la rigidité de la nounou, de sa paranoïa. « Qu'elle fouille dans la poubelle après tout, je n'ai pas de comptes à lui rendre », affirme-t-elle à un Paul convaincu qu'il faut s'émanciper du pouvoir de Louise. Myriam se montre ferme. Elle interdit à Louise de donner aux enfants des produits périmés. « Oui, même périmés d'un jour. C'est tout, ça ne se discute pas. »

Un soir, alors que Louise se remet à peine de sa maladie, Myriam rentre tard. L'appartement est plongé dans le noir et Louise attend derrière la porte, son manteau sur le dos et son sac à la main. Elle dit à peine au revoir et se précipite dans l'ascenseur. Myriam est trop fatiguée pour réfléchir ou pour s'en émouvoir.

« Louise fait la tête. Et après ? »

Elle pourrait se jeter sur le canapé et s'endormir, tout habillée, ses chaussures encore aux pieds. Mais elle se dirige vers la cuisine, pour se servir un verre de vin. Elle a envie de s'asseoir un instant dans le salon, de boire un verre de vin blanc très froid, de se détendre en fumant une cigarette. Si elle n'avait pas peur de réveiller les enfants, elle prendrait même un bain.

Elle entre dans la cuisine et allume la lumière. La pièce a l'air encore plus propre que d'habitude. Il y flotte une forte odeur de savon. La porte du frigidaire a été nettoyée. Rien ne traîne sur le plan de travail. La hotte ne porte aucune trace de graisse, les poignées des placards ont été passées à l'éponge. Et la vitre, en face d'elle, est d'une propreté éclatante.

Myriam s'apprête à ouvrir le frigidaire quand elle la voit. Là, au centre de la petite table où mangent les enfants et leur nounou. Une carcasse de poulet est posée sur une assiette. Une carcasse luisante, sur laquelle ne reste pas le moindre bout de chair, pas la plus petite trace de viande. On dirait qu'un vautour l'a rongée ou un insecte entêté, minutieux. Une mauvaise bête en tout cas.

Elle fixe le squelette marron, son échine ronde, ses os pointus, la colonne vertébrale lisse et nette. Les cuisses ont été arrachées mais les ailes, tordues, sont encore là, les articulations distendues, prêtes à rompre. Le cartilage luisant, jaunâtre, ressemble à du pus séché. À travers les trous, entre les petits os, Myriam voit l'intérieur vide du thorax, noir et exsangue. Il n'y a plus de viande, plus d'organes, rien de putrescible sur ce squelette, et pourtant, il semble à Myriam que c'est une charogne, un immonde cadavre qui continue de pourrir sous ses yeux, là, dans sa cuisine.

Elle en est sûre, elle a jeté le poulet ce matin même. La viande n'était plus consommable, elle allait ainsi éviter à ses enfants d'être malades. Elle se souvient très bien qu'elle a secoué le plat au-dessus du sac-poubelle et que la bête est tombée, entourée de graisse gélatineuse. Elle s'est écrasée dans un bruit sourd au fond de la corbeille et Myriam a dit « beurk ». Cette odeur, au petit matin, l'a écœurée.

Myriam s'approche de la bête qu'elle n'ose pas toucher. Cela ne peut pas être une erreur, un oubli de Louise. Encore moins une plaisanterie. Non, la carcasse sent le liquide vaisselle à l'amande douce. Louise l'a lavée à grande eau, elle l'a nettoyée et elle l'a posée là comme une vengeance, comme un totem maléfique.

Plus tard, Mila a tout raconté à sa mère. Elle riait, elle sautait en expliquant comment Louise leur avait appris à manger avec les doigts. Debout sur leurs chaises, Adam et elle ont gratté les os. La viande était sèche et Louise les a autorisés à boire de grands verres de Fanta en mangeant, pour ne pas s'étouffer. Elle était très attentive à ne pas abîmer le squelette et elle ne quittait pas la bête des yeux. Elle leur a dit que c'était un jeu et qu'elle les récompenserait s'ils suivaient très attentivement les règles. Et à la fin, pour une fois, ils ont eu droit à deux bonbons acidulés.

Hector Rouvier

Dix ans ont passé, mais Hector Rouvier se rappelle parfaitement les mains de Louise. C'est ce qu'il touchait le plus souvent, ses mains. Elles avaient une odeur de pétales écrasés et ses ongles étaient toujours vernis. Hector les serrait, les tenait contre lui, il les sentait sur sa nuque quand il regardait un film à la télévision. Les mains de Louise plongeaient dans l'eau chaude et frottaient le corps maigre d'Hector. Elles faisaient mousser le savon dans ses cheveux, glissaient sous ses aisselles, lavaient son sexe, son ventre, ses fesses.

Couché sur son lit, le visage enfoncé dans l'oreiller, il soulevait le haut de son pyjama pour signifier à Louise qu'il attendait ses caresses. Du bout des ongles, elles parcouraient le dos de l'enfant dont la peau s'alarmait, frissonnait, et il s'endormait, apaisé et un peu honteux, devinant vaguement l'étrange excitation dans laquelle les doigts de Louise l'avaient plongé.

Sur le chemin de l'école, Hector serrait très fort les mains de sa nounou. Plus il grandissait, plus ses paumes s'élargissaient et plus il craignait de broyer les os de Louise, ses os de biscuit et de porcelaine. Les phalanges de la nounou craquaient dans la paume de l'enfant et parfois, Hector pensait que c'était lui qui donnait la main à Louise et lui faisait traverser la rue.

Louise n'a jamais été dure, non. Il ne se souvient pas de l'avoir vue se mettre en colère. Il en est certain, elle n'a jamais porté la main sur lui. Il a gardé d'elle des images floues, informes, malgré les années passées auprès d'elle. Le visage de Louise lui semble lointain, il n'est pas sûr qu'il la reconnaîtrait aujourd'hui s'il la croisait par hasard dans la rue. Mais le contact de sa joue, molle et douce; l'odeur de sa poudre, qu'elle appliquait matin et soir; la sensation de ses collants beiges contre son visage d'enfant; la façon étrange qu'elle avait de l'embrasser, y mettant parfois les dents, le mordillant comme pour lui signifier la sauvagerie soudaine de son amour, son désir de le posséder tout entier. De tout cela, oui, il se souvient.

Il n'a pas oublié, non plus, ses talents de pâtissière. Les gâteaux qu'elle apportait devant l'école et la façon dont elle se réjouissait de la gourmandise du petit garçon. Le goût de sa sauce tomate, sa façon de poivrer les steaks qu'elle cuisait à peine, sa crème aux champignons sont des souvenirs qu'il convoque souvent. Une mythologie liée à l'enfance, au monde d'avant les repas surgelés devant l'écran de son ordinateur.

Il se souvient aussi, ou plutôt il croit se souvenir, qu'elle était d'une patience infinie avec lui. Avec ses parents, la cérémonie du coucher tournait souvent mal. Anne Rouvier, sa mère, perdait patience quand Hector pleurait, suppliait de laisser la porte ouverte, demandait une autre histoire, un verre d'eau, jurait qu'il avait vu un monstre, qu'il avait encore faim.

« Moi aussi, lui avait avoué Louise, j'ai peur de m'endormir. » Elle avait de l'indulgence pour les cauchemars et elle était capable de lui caresser les tempes pendant des heures et d'accompagner, de ses longs doigts qui sentaient la rose, sa route vers le sommeil. Elle avait convaincu sa patronne de laisser une lampe allumée dans la chambre de l'enfant. « On n'a pas besoin de lui infliger une telle terreur. »

Oui, son départ a été une déchirure. Elle lui a manqué, atrocement, et il a détesté la jeune fille qui l'a remplacée, une étudiante qui venait le chercher à l'école, qui lui parlait anglais et qui, comme le disait sa mère, « le stimulait intellectuellement ». Il en a voulu à Louise d'avoir déserté, de n'avoir pas tenu les promesses enflammées qu'elle avait faites, d'avoir trahi les serments de tendresse éternelle, après avoir juré qu'il était le seul et que personne ne pourrait le remplacer. Un jour, elle n'a plus été là et Hector n'a pas osé poser de questions. Il n'a pas su pleurer cette femme qui l'avait quitté car malgré ses huit ans, il avait l'intuition que cet amour-là était risible, qu'on se moquerait de lui et que ceux qui s'apitoyaient faisaient un peu semblant.

Hector baisse la tête. Il se tait. Sa mère est assise sur une chaise, à côté de lui, et elle pose sa main sur son épaule. Elle lui dit : « C'est bien, mon chéri. » Mais Anne est agitée. Elle a, face aux policiers, des regards de coupable. Elle cherche quelque chose à avouer, une faute qu'elle aurait commise il y a longtemps et qu'ils voudraient lui faire payer. Elle a toujours été comme ça, innocente et paranoïaque. Elle n'a jamais passé une douane sans transpirer. Un jour, elle a soufflé, sobre et enceinte, dans un éthylotest persuadée qu'elle se ferait arrêter.

Le capitaine, une jolie femme dont les épais cheveux bruns sont retenus en queue-de-cheval, s'assoit sur son bureau, face à eux. Elle demande à Anne comment elle est entrée en contact avec Louise et les raisons qui l'ont poussée à l'engager comme nounou pour ses enfants. Anne répond calmement. Elle ne veut qu'une chose, satisfaire la policière, la mettre sur une piste et, surtout, savoir de quoi Louise est accusée.

Louise lui a été conseillée par une amie. Elle lui en avait dit le plus grand bien. Et d'ailleurs, elle-même a toujours été satisfaite de sa nounou. « Hector, vous le constatez vous-même, était très attaché à elle. » Le capitaine sourit à l'adolescent. Elle retourne derrière son bureau, ouvre un dossier et demande :

« Est-ce que vous vous souvenez du coup de fil de Mme Massé ? Il y a un peu plus d'un an, en janvier ?

— Mme Massé ?

— Oui, rappelez-vous. Louise vous avait donné comme référence et Myriam Massé voulait savoir ce que vous pensiez d'elle.

— C'est vrai, je m'en souviens. Je lui ai dit que Louise était une nounou d'exception. »

Ils sont assis depuis plus de deux heures dans cette pièce froide, qui ne leur offre aucune distraction. Le bureau est bien rangé. Aucune photographie ne traîne. Il n'y a pas d'affiches placardées au mur, aucun avis de recherche. Le capitaine s'arrête parfois au milieu d'une phrase et sort du bureau en s'excusant. Anne et son fils la voient à travers la vitre répondre à son portable, chuchoter à l'oreille d'un collègue ou boire un café. Ils n'ont pas envie de se parler, même pour se distraire. Assis côte à côte, ils s'évitent, ils font semblant d'oublier qu'ils ne sont pas seuls. Ils se contentent de souffler fort, de se lever pour faire le tour de leur chaise. Hector consulte son portable. Anne tient son sac en cuir noir entre ses bras. Ils s'ennuient mais ils sont trop polis et trop peureux pour montrer à la policière le moindre signe d'agacement. Épuisés, soumis, ils attendent d'être libérés.

Le capitaine imprime des documents qu'elle leur tend.

« Signez ici et là aussi, s'il vous plaît. »

Anne se penche vers la feuille et sans lever les yeux, elle demande, d'une voix blanche :

« Louise, qu'est-ce qu'elle a fait ? Que s'est-il passé ?

— Elle est accusée d'avoir tué deux enfants. »

Le capitaine a les yeux cernés. Des poches violettes et gonflées alourdissent son regard et, bizarrement, la rendent plus jolie encore.

Hector sort dans la rue, dans la chaleur du mois de juin. Les filles sont belles et il a envie de grandir, d'être libre, d'être un homme. Ses dix-huit ans lui pèsent, il voudrait les laisser derrière lui, comme il a laissé sa mère devant la porte du commissariat, hébétée, transie. Il se rend compte que ce n'est pas la surprise ou la stupéfaction qu'il a d'abord ressenties tout à l'heure, face à la policière, mais un immense et douloureux soulagement. Une jubilation, même. Comme s'il avait toujours su qu'une menace avait pesé sur lui, une menace blanche, sulfureuse, indicible. Une menace que lui seul, de ses yeux et de son cœur d'enfant, était capable de percevoir. Le destin avait voulu que le malheur s'abatte ailleurs.

Le capitaine a eu l'air de le comprendre. Tout à l'heure, elle a scruté son visage impassible et elle lui a souri. Comme on sourit aux rescapés.

Toute la nuit, Myriam pense à cette carcasse posée sur la table de la cuisine. Dès qu'elle ferme les yeux, elle imagine le squelette de l'animal, juste là, à côté d'elle, dans son lit.

Elle a bu son verre de vin d'un trait, la main sur la petite table, surveillant la carcasse du coin de l'œil. Elle répugnait à la toucher, à en sentir le contact. Elle avait le sentiment bizarre que quelque chose pourrait alors se passer, que l'animal pourrait reprendre vie et lui sauter au visage, s'accrocher à ses cheveux, la pousser contre le mur. Elle a fumé une cigarette à la fenêtre du salon et elle est retournée dans la cuisine. Elle a enfilé une paire de gants en plastique et elle a jeté le squelette dans la poubelle. Elle a aussi jeté l'assiette et le torchon qui reposait à côté. Elle a descendu à toute vitesse les sacs noirs et a refermé violemment la porte du local derrière elle.

Elle s'est mise au lit. Son cœur cognait dans sa poitrine au point qu'elle avait du mal à respirer. Elle a essayé de dormir puis, n'y tenant plus, elle a appelé Paul et, en larmes, elle lui a raconté cette histoire de poulet. Il trouve qu'elle dramatise. Il rit de ce mauvais scénario de film d'horreur. «Tu ne vas quand même pas te mettre dans des états pareils pour une histoire de volaille?» Il essaie de la faire rire, de la faire douter de la gravité de la situation. Myriam lui raccroche au nez. Il essaie de rappeler mais elle ne répond pas.

Son insomnie est habitée de pensées accusatrices puis de culpabilité. Elle commence par agonir Louise. Elle se dit qu'elle est folle. Dangereuse peut-être. Qu'elle nourrit contre ses patrons une haine sordide, un appétit de vengeance. Myriam se reproche de n'avoir pas mesuré la violence dont Louise est capable. Elle avait déjà remarqué que la nounou pouvait se mettre en colère pour ce genre de choses. Une fois Mila a perdu un gilet à l'école et Louise en a fait une maladie. Tous les jours, elle parlait à Myriam de ce gilet bleu. Elle s'était juré de le retrouver, avait harcelé l'institutrice, la gardienne et les cantinières. Un lundi matin, elle a trouvé Myriam en train d'habiller Mila. La petite portait le gilet bleu.

«Vous l'avez retrouvé? a demandé la nounou, le regard exalté.

— Non, mais j'ai racheté le même.»

Louise s'est mise dans une colère incontrôlable. «C'était bien la peine que je m'épuise à le chercher. Et qu'est-ce que ça veut dire? On se fait voler, on ne prend pas soin de ses affaires mais ce n'est pas grave, maman va racheter un gilet pour Mila?»

Et puis Myriam retourne contre elle-même ses accusations. « C'est moi, pense-t-elle, qui suis allée trop loin. C'était sa façon à elle de me dire que je suis gaspilleuse, trop légère, désinvolte. Louise a dû vivre comme un affront que je jette ce poulet, elle qui sans doute connaît des problèmes d'argent. Au lieu de l'aider, je l'ai humiliée. »

Elle se lève, aux aurores, avec l'impression d'avoir à peine dormi. Quand elle sort de son lit, elle voit tout de suite que la cuisine est allumée. Elle sort de sa chambre et elle voit Louise, assise devant la petite fenêtre qui donne sur la cour. La nounou tient des deux mains sa tasse de thé, celle que lui a achetée Myriam pour sa fête. Son visage flotte dans un nuage de vapeur. Louise ressemble à une petite vieille, à un fantôme tremblant dans le matin pâle. Ses cheveux, sa peau se sont vidés de toute couleur. Myriam a l'impression que Louise est toujours habillée de la même façon ces derniers temps, cette chemise bleue, ce col Claudine l'écœurent d'un seul coup. Elle voudrait tellement ne pas avoir à lui parler. Elle voudrait la faire disparaître de sa vie, sans effort, d'un simple geste, d'un clignement d'œil. Mais Louise est là, elle lui sourit.

De sa voix fluette elle lui demande : « Je vous fais un café ? Vous avez l'air fatiguée. » Myriam tend la main et saisit la tasse brûlante.

Elle pense à la longue journée qui l'attend, elle qui va défendre un homme devant les assises. Dans sa cuisine, face à Louise, elle mesure l'ironie de la situation. Elle dont tout le monde admire la pugnacité, dont Pascal

173

loue le courage pour affronter ses adversaires, a la gorge nouée devant cette petite femme blonde.

Certains adolescents rêvent de plateaux de cinéma, de terrains de football, de salles de concerts combles. Myriam a toujours rêvé de la cour d'assises. Étudiante, déjà, elle essayait d'assister le plus souvent possible à des procès. Sa mère ne comprenait pas qu'on puisse se passionner ainsi pour de sordides histoires de viols, pour l'exposé précis, glauque, sans affect, d'incestes ou de meurtres. Myriam préparait le barreau quand a commencé le procès de Michel Fourniret, le tueur en série dont elle a attentivement suivi l'affaire. Elle avait loué une chambre dans le centre de Charleville-Mézières et tous les jours elle rejoignait le groupe de femmes au foyer venues observer le monstre. On avait installé à l'extérieur du Palais de justice un immense chapiteau dans lequel le public, très nombreux, pouvait assister en direct aux audiences grâce à des écrans géants. Elle restait un peu à l'écart. Elle ne leur parlait pas. Elle était mal à l'aise quand ces femmes au teint rougeaud, aux cheveux courts, les ongles coupés ras, accueillaient la camionnette de l'accusé par des insultes et des crachats. Elle, si pétrie de principes, si rigide parfois, était fascinée par ce spectacle de haine franche, par ces appels à la vengeance.

Myriam prend le métro et arrive en avance devant le Palais de justice. Elle fume une cigarette et tient par le bout des doigts le cordon rouge qui entoure son énorme dossier. Depuis plus d'un mois, Myriam assiste Pascal dans la préparation de ce procès. Le prévenu, un homme de vingt-quatre ans, est accusé d'avoir mené avec trois complices une expédition punitive contre deux Sri-Lankais. Sous l'emprise de l'alcool et de la cocaïne, ils ont tabassé les deux cuisiniers, sans papiers et sans histoires. Ils ont frappé, encore et encore, frappé jusqu'à la mort d'un des hommes, frappé jusqu'à se rendre compte qu'ils s'étaient trompés de cible, qu'ils avaient pris un Noir pour un autre. Ils n'ont pas su expliquer pourquoi. Ils n'ont pas pu nier, dénoncés par l'enregistrement d'une caméra de surveillance.

Pendant le premier rendez-vous, l'homme a raconté sa vie aux avocats, un récit émaillé de mensonges, d'exagérations évidentes. Au seuil de la prison à vie, il trouvait le moyen de faire du charme à Myriam. Elle a tout fait pour garder la « bonne distance ». C'est l'expression qu'utilise toujours Pascal et sur laquelle repose, selon lui, le succès d'une affaire. Elle a cherché à démêler le vrai du faux, méthodiquement, preuves à l'appui. Elle a expliqué de sa voix d'institutrice, choisissant des mots simples mais cinglants, que le mensonge était une mauvaise technique de défense et qu'il n'avait rien à perdre, à présent, à dire la vérité.

Pour le procès, elle a acheté au jeune homme une chemise neuve et lui a conseillé d'oublier les plaisanteries de mauvais goût et ce sourire en coin, qui lui donne l'air bravache. « Nous devons prouver que, vous aussi, vous êtes une victime. »

Myriam parvient à se concentrer et le travail lui fait oublier sa nuit de cauchemar. Elle interroge les deux experts qui viennent à la barre pour parler de la psychologie de son client. Une des victimes témoigne, assistée d'un traducteur. Le témoignage est laborieux mais l'émotion est palpable dans l'assistance. L'accusé garde les yeux baissés, impassible.

Pendant une suspension de séance, alors que Pascal est au téléphone, Myriam reste assise dans un couloir, le regard vide, prise d'un sentiment de panique. Elle a sans doute traité avec trop de hauteur cette histoire de dettes. Par discrétion ou par désinvolture, elle n'a pas regardé en détail le courrier du Trésor public. Elle aurait dû garder les documents, se dit-elle. Des dizaines de fois elle a demandé à Louise de les lui apporter. Louise a commencé par dire qu'elle les avait oubliés, qu'elle y penserait demain, promis. Myriam a essayé d'en savoir plus. Elle l'a interrogée sur Jacques, sur ces dettes qui semblent courir depuis des années. Elle lui a demandé si Stéphanie était au courant de ses difficultés. À ses questions, posées d'une voix douce et compréhensive, Louise opposait un silence hermétique. « C'est de la pudeur », a pensé Myriam. Une façon de préserver la frontière entre nos deux mondes. Elle a alors renoncé à l'aider. Elle avait l'affreuse impression que sa curiosité était autant de coups infligés au corps fragile de Louise, ce corps qui depuis quelques jours semble s'étioler, blêmir, s'effacer. Dans ce couloir sombre, où flotte une rumeur lancinante, Myriam se sent démunie, en proie à un lourd et profond épuisement.

Ce matin, Paul l'a rappelée. Il s'est montré doux et conciliant. Il s'est excusé d'avoir si bêtement réagi. De

176

ne pas l'avoir prise au sérieux. « On fera comme tu voudras, a-t-il répété. Dans ces conditions, nous ne pouvons pas la garder. » Et il a ajouté, pragmatique : « On attend l'été, on part en vacances et au retour nous lui ferons comprendre que nous n'avons plus vraiment besoin d'elle. »

Myriam a répondu d'une voix blanche, sans conviction. Elle repense à la joie des enfants quand ils ont retrouvé la nounou après ces quelques jours de congé maladie. Au regard triste que Louise lui a adressé, à son visage lunaire. Elle entend encore ses excuses voilées et un peu ridicules, sa honte d'avoir manqué à son devoir. « Ça ne se reproduira plus, disait-elle. Je vous le promets. »

Bien sûr, il suffirait d'y mettre fin, de tout arrêter là. Mais Louise a les clés de chez eux, elle sait tout, elle s'est incrustée dans leur vie si profondément qu'elle semble maintenant impossible à déloger. Ils la repousseront et elle reviendra. Ils feront leurs adieux et elle cognera contre la porte, elle rentrera quand même, elle sera menaçante, comme un amant blessé.

Stéphanie

Stéphanie a eu beaucoup de chance. Quand elle est entrée au collège, Mme Perrin, l'employeur de Louise, a proposé d'inscrire la jeune fille dans un lycée parisien, bien mieux noté que celui auquel elle était destinée à Bobigny. La femme a voulu faire une bonne action pour cette pauvre Louise, qui travaille tellement et qui est si méritante.

Mais Stéphanie ne s'est pas montrée à la hauteur de cette générosité. Quelques semaines à peine après sa rentrée en troisième, les ennuis ont commencé. Elle perturbait la classe. Elle ne pouvait pas s'empêcher de pouffer de rire, de balancer des objets à travers la salle, de répondre des grossièretés aux professeurs. Les autres élèves la trouvaient à la fois drôle et fatigante. Elle cachait à Louise les mots sur son carnet de correspondance, les avertissements, les convocations chez le proviseur. Elle s'est mise à sécher les cours et à fumer des joints avant midi, couchée sur les bancs d'un square du quinzième arrondissement.

Un soir, Mme Perrin a convoqué la nounou pour lui exposer sa profonde déception. Elle se sentait trahie. À cause de Louise, elle avait eu atrocement honte. Elle avait perdu la face devant le proviseur, qu'elle avait mis tant de temps à convaincre et qui lui avait fait une fleur en acceptant Stéphanie. Dans une semaine, la jeune fille était convoquée devant le conseil de discipline, où Louise devait elle aussi se rendre. « C'est comme un tribunal, lui a expliqué sèchement sa patronne. Ce sera à vous de la défendre. »

À 15 heures, Louise et sa fille sont entrées dans la salle. C'était une pièce ronde, mal chauffée, dont les larges fenêtres, aux vitres vertes et bleues, répandaient une lumière d'église. Une dizaine de personnes — professeurs, conseillers, représentants des parents d'élèves — étaient assises autour d'une large table en bois. Elles ont pris la parole à tour de rôle. « Stéphanie est inadaptée, indisciplinée, insolente. » « Ce n'est pas une méchante fille, a ajouté quelqu'un. Mais quand elle commence, il n'y a pas moyen de la raisonner. » Elles se sont étonnées que Louise n'ait jamais réagi face à l'ampleur de ce désastre. Qu'elle n'ait pas répondu aux demandes de rendez-vous que des professeurs lui avaient adressées. On l'avait appelée sur son portable. On avait même laissé des messages, qui tous étaient restés sans suite.

Louise les a suppliées de donner une autre chance à sa fille. Elle a expliqué en pleurant combien elle s'occupait de ses enfants, qu'elle les punissait quand ils ne l'écoutaient pas. Qu'elle leur interdisait de regarder la télévision en faisant leurs devoirs. Elle a dit qu'elle avait des principes et une grande expérience dans l'éducation des enfants. Mme Perrin l'avait prévenue, il s'agissait bien d'un tribunal et c'est elle qu'on jugeait. Elle, la mauvaise mère.

Autour de la grande table en bois, dans cette salle glacée où ils avaient tous gardé leurs manteaux, les enseignants ont incliné la tête sur le côté. Ils ont répété : « Nous ne mettons pas en doute vos efforts, madame. Nous sommes certains que vous faites de votre mieux. » Une professeur de français, une femme mince et douce, lui a demandé :

« Combien Stéphanie a-t-elle de frères et sœurs ?

— Elle n'en a pas, a répondu Louise.

— Mais vous nous avez parlé de vos enfants, non ?

— Oui, les enfants dont je m'occupe. Ceux que je garde tous les jours. Et vous pouvez me croire, ma patronne est très contente de l'éducation que je donne à ses enfants. »

Ils leur ont demandé de sortir de la salle pour les laisser délibérer. Louise s'est levée et leur a adressé un sourire qu'elle imaginait être celui d'une femme du monde. Dans le couloir du lycée, face aux terrains de basket, Stéphanie continuait à rire bêtement. Elle était trop ronde, trop grande, ridicule avec sa queue-de-cheval sur le haut du crâne. Elle portait un caleçon imprimé qui lui faisait des cuisses énormes. Le caractère solennel de cette réunion ne semblait pas l'avoir intimidée, juste ennuyée. Elle n'a pas eu peur, au contraire, elle souriait d'un air entendu, comme si ces professeurs qui portaient des pulls en mohair ringards et des foulards de grand-mère n'étaient rien d'autre que de mauvais acteurs.

Une fois sortie de la salle de conseil, elle a retrouvé sa bonne humeur, son air bravache de cancre. Dans le couloir, elle alpaguait ses copains qui sortaient de classe, elle faisait des bonds et murmurait des secrets à l'oreille d'une fille timide qui se retenait de pouffer. Louise avait envie de la gifler, de la secouer de toutes ses forces. Elle aurait voulu lui faire comprendre ce que ça lui coûtait d'humiliations et d'efforts que d'élever une fille comme elle. Elle aurait voulu lui mettre le nez dans sa sueur et ses angoisses, lui arracher de la poitrine sa stupide insouciance. Mettre en miettes ce qui lui restait d'enfance.

Dans ce couloir bruyant, Louise se retenait de trembler. Elle se contentait de réduire Stéphanie au silence en serrant de plus en plus fort ses doigts autour du bras potelé de sa fille.

« Vous pouvez rentrer. »

Le professeur principal a passé la tête par la porte et il leur a fait signe de rejoindre leurs sièges. Ils avaient mis à peine dix minutes à délibérer mais Louise n'a pas compris que c'était mauvais signe.

Une fois que la mère et la fille ont retrouvé leur place, le professeur principal a pris la parole. Stéphanie, a-t-il expliqué, est un élément perturbateur qu'ils échouent tous à canaliser. Ils ont eu beau essayer, user de toutes les méthodes pédagogiques, rien n'y a fait. Ils ont épuisé toutes leurs compétences. Ils ont une responsabilité et ils ne peuvent pas la laisser prendre toute une classe en otage. « Peut-être, ajoute l'enseignant, que Stéphanie sera plus épanouie dans un quartier proche de chez elle.

Dans un environnement qui lui ressemble, où elle aurait des repères. Vous comprenez ? »

On était en mars. L'hiver s'était attardé. On avait l'impression qu'il ne cesserait jamais de faire froid. « Si vous avez besoin d'aide pour les aspects administratifs, il y a des gens pour cela », l'a rassurée la conseillère d'orientation. Louise ne comprenait pas. Stéphanie était renvoyée.

Dans le bus qui les ramenait chez elles, Louise a gardé le silence. Stéphanie gloussait, elle regardait par la fenêtre, ses écouteurs enfoncés dans les oreilles. Elles ont remonté la rue grise qui menait à la maison de Jacques. Elles sont passées devant le marché et Stéphanie ralentissait pour regarder les étals. Louise a été prise de haine pour sa désinvolture, pour son égoïsme adolescent. Elle l'a saisie par la manche et l'a tirée avec une vigueur et une brutalité incroyables. Une colère de plus en plus noire, de plus en plus brûlante l'envahissait. Elle avait envie d'enfoncer ses ongles dans la peau molle de sa fille.

Elle a ouvert le petit portail de l'entrée et à peine l'a-t-elle eu refermé derrière elles qu'elle s'est mise à rouer Stéphanie de coups. Elle l'a frappée sur le dos d'abord, de grands coups de poing qui ont projeté sa fille à terre. L'adolescente, recroquevillée, criait. Louise a continué de frapper. Toute sa force de colosse s'est déployée et ses mains minuscules couvraient le visage de Stéphanie de gifles cinglantes. Elle lui tirait les cheveux, écartait les bras dont sa fille entourait sa tête pour se défendre. Elle la tapait sur les yeux, elle l'insultait, elle la griffait jusqu'au sang. Quand Stéphanie n'a plus bougé, Louise lui a craché au visage.

Jacques a entendu le bruit et il s'est approché de la fenêtre. Il a regardé Louise infliger une correction à sa fille sans chercher à les séparer.

Les silences et les malentendus ont tout infecté. Dans l'appartement, l'atmosphère est plus lourde. Myriam essaie de n'en rien montrer aux enfants mais elle est distante avec Louise. Elle lui parle du bout des lèvres, lui donne des instructions précises. Elle suit les conseils de Paul, qui lui répète : « C'est notre employée, pas notre amie. »

Elles ne boivent plus le thé ensemble dans la cuisine, Myriam assise devant la table, Louise adossée au plan de travail. Myriam ne dit plus de mots doux : « Louise, vous êtes un ange » ou « On n'en fait pas deux comme vous ». Elle ne propose plus, le vendredi soir, de terminer la bouteille de rosé qui dort au fond du frigidaire. « Les enfants regardent un film, on peut bien s'accorder un petit plaisir », disait alors Myriam. À présent, quand l'une ouvre la porte, l'autre la referme derrière elle. Elles se retrouvent de plus en plus rarement ensemble dans la même pièce et exécutent une savante chorégraphie de l'évitement.

Puis le printemps éclate, ardent, inespéré. Les journées s'allongent et les arbres portent leurs premiers bourgeons. Le beau temps vient balayer les habitudes, il pousse Louise dehors, dans les parcs, avec les enfants. Un soir, elle demande à Myriam si elle peut finir plus tôt. « J'ai un rendez-vous », explique-t-elle d'une voix émue.

Elle rejoint Hervé dans le quartier où il travaille et, ensemble, ils vont au cinéma. Hervé aurait préféré boire un verre en terrasse, mais Louise a insisté. D'ailleurs, le film lui a beaucoup plu et ils retournent le voir la semaine suivante. Dans la salle, Hervé somnole discrètement à côté de Louise.

Elle finit par accepter de prendre un verre sur une terrasse, dans un pub des Grands Boulevards. Hervé est un homme heureux, pense-t-elle. Il parle de ses projets en souriant. Des vacances qu'ils pourraient prendre tous les deux dans les Vosges. Ils se baigneraient nus dans les lacs, ils dormiraient dans un chalet de montagne dont il connaît le propriétaire. Et ils écouteraient de la musique tout le temps. Il lui ferait découvrir sa collection de disques et il est certain que, très vite, elle ne pourrait plus s'en passer. Hervé a envie de prendre sa retraite et il n'imagine pas de profiter seul de ces années de repos. Il a divorcé il y a quinze ans maintenant. Il n'a pas d'enfants et la solitude lui pèse.

Hervé a usé de tous les stratagèmes avant que Louise n'accepte, un soir, de l'accompagner chez lui. Il l'attend au Paradis, le café qui fait face à l'immeuble des Massé. Ils prennent le métro ensemble et Hervé pose sa main rougeaude sur le genou de Louise. Elle l'écoute, les yeux fixés sur cette main d'homme, cette main qui s'installe, qui commence, qui en voudra plus. Cette main discrète qui cache bien son jeu.

Ils font l'amour bêtement, lui sur elle, leurs mentons se cognant parfois l'un à l'autre. Couché sur elle, il râle mais elle ne sait pas si c'est de plaisir ou parce que ses articulations le font souffrir et qu'elle ne l'aide pas. Hervé est si petit qu'elle peut sentir ses chevilles contre les siennes. Ses chevilles épaisses, ses pieds couverts de poils, et ce contact lui paraît plus incongru, plus intrusif encore que le sexe de l'homme en elle. Jacques, lui, était si grand et il faisait l'amour comme on punit, avec rage. De cette étreinte, Hervé est sorti soulagé, libéré d'un poids, et il s'est montré plus familier.

C'est là, dans le lit d'Hervé, dans son HLM de la porte de Saint-Ouen, l'homme endormi à côté d'elle, qu'elle a pensé à un bébé. Un bébé minuscule, à peine né, un bébé tout enveloppé de cette chaude odeur de la vie qui commence. Un bébé abandonné à l'amour, qu'elle habillerait de barboteuses aux tons pastel et qui passerait de ses bras à ceux de Myriam puis de Paul. Un nourrisson qui les tiendrait tout près les uns des autres, qui les lierait dans un même élan de tendresse. Qui effacerait les malentendus, les dissensions, qui redonnerait un sens aux habitudes. Ce bébé, elle le bercerait sur ses genoux pendant des heures, dans une petite chambre à peine éclairée par une veilleuse sur laquelle des bateaux et des îles tourneraient en rond. Elle caresserait son crâne chauve et elle enfoncerait doucement son petit doigt dans la bouche de l'enfant. Il arrêterait de crier, tétant de ses gencives gonflées son ongle verni.

Le lendemain, elle fait avec plus de soin que d'habitude le lit de Paul et de Myriam. Elle passe sa main sur les draps. Elle cherche une trace de leurs étreintes, une trace de l'enfant dont elle est sûre à présent qu'il est à venir. Elle demande à Mila si elle voudrait d'un petit frère ou d'une petite sœur. « Un bébé dont on s'occuperait toutes les deux, qu'en penses-tu ? » Louise espère que Mila en parlera à sa mère, qu'elle lui soufflera l'idée qui fera ensuite son chemin en elle et qui s'imposera. Et un jour, la petite fille demande à Myriam, sous les yeux ravis de Louise, si elle porte un bébé dans son ventre. « Oh non, plutôt mourir », répond Myriam en riant.

Louise trouve que c'est mal. Elle ne comprend pas le rire de Myriam, la légèreté avec laquelle elle traite cette question. Myriam dit ça, c'est certain, pour conjurer le sort. Elle mime l'indifférence, mais elle n'en pense pas moins. En septembre Adam aussi va entrer à l'école, la maison sera vide, Louise n'aura plus rien à faire. Il faudra bien qu'un autre enfant vienne pour meubler les longues journées d'hiver.

Louise écoute les conversations. L'appartement est petit, elle ne le fait pas exprès, mais elle finit par tout savoir. Sauf que ces derniers temps, Myriam parle plus bas. Elle ferme la porte derrière elle quand elle discute au téléphone. Elle chuchote, les lèvres au-dessus de l'épaule de Paul. Ils ont l'air d'avoir des secrets.

Louise parle à Wafa de cet enfant qui va naître. De

la joie qu'il lui apportera et du travail supplémentaire. « Avec trois enfants, ils ne pourront pas se passer de moi. » Louise connaît des moments d'euphorie. Elle a l'intuition fugace, informe, d'une vie qui va s'élargir, d'espaces plus grands, d'un amour plus pur, d'appétits voraces. Elle pense à l'été, qui est si proche, aux vacances en famille. Elle imagine l'odeur de la terre retournée et des noyaux d'olives pourries sur le bord d'une route. La voûte des arbres fruitiers sous un clair de lune et rien à porter, rien à couvrir, rien à cacher.

Elle se remet à faire la cuisine, elle dont les plats, ces dernières semaines, étaient devenus quasiment immangeables. Elle prépare pour Myriam des riz au lait à la cannelle, des soupes épicées et toutes sortes de mets réputés pour favoriser la fertilité. Elle observe avec une attention de tigresse le corps de la jeune femme. Elle scrute la clarté de son teint, le poids de ses seins, la brillance de ses cheveux, autant de signes qui, croit-elle, annoncent une grossesse.

Elle s'occupe du linge avec une concentration de prêtresse, de sorcière vaudoue. Comme toujours elle vide la machine à laver. Elle étend les caleçons de Paul. Elle tient à laver les dessous délicats à la main et, dans l'évier de la cuisine, elle passe sous l'eau froide les culottes de Myriam, les soutiens-gorge en dentelle ou en soie. Elle récite des prières.

Mais Louise, sans cesse, est déçue. Elle n'a pas besoin d'éventrer les poubelles. Rien ne lui échappe. Elle a vu la tache sur le pantalon de pyjama jeté au pied du lit, du côté où dort Myriam. Sur le sol de la salle de bains, ce matin, elle a remarqué une minuscule goutte de sang.

Une goutte si petite que Myriam ne l'a pas nettoyée et qui a séché sur les carreaux verts et blancs.

Le sang revient sans cesse, elle connaît son odeur, ce sang que Myriam ne peut pas lui cacher et qui, chaque mois, signe la mort d'un enfant.

Les jours d'abattement succèdent à l'euphorie. Le monde paraît se rétrécir, se rétracter, peser sur son corps d'un poids écrasant. Paul et Myriam ferment sur elle des portes qu'elle voudrait défoncer. Elle n'a qu'une envie : faire monde avec eux, trouver sa place, s'y loger, creuser une niche, un terrier, un coin chaud. Elle se sent prête parfois à revendiquer sa portion de terre puis l'élan retombe, le chagrin la saisit et elle a honte même d'avoir cru à quelque chose.

Un jeudi soir, vers 20 heures, Louise rentre chez elle. Son propriétaire l'attend dans le couloir. Il se tient debout sous l'ampoule qui ne s'allume plus. « Ah, vous voilà. » Bertrand Alizard s'est presque jeté sur elle. Il braque l'écran de son téléphone portable sur le visage de Louise, qui met sa main devant ses yeux. « Je vous attendais. Je suis venu plusieurs fois, le soir ou l'après-midi. Je ne vous trouvais jamais. » Il parle d'une voix suave, le torse tendu vers Louise, donnant l'impression qu'il va la toucher, lui prendre le bras, lui parler à l'oreille. Il la fixe de ses yeux chassieux, ses yeux sans cils, qu'il frotte après avoir soulevé ses lunettes, attachées à un cordon.

Elle ouvre la porte du studio et le laisse entrer. Bertrand Alizard porte un pantalon beige trop large et, en observant l'homme, de dos, Louise remarque que la ceinture a manqué deux passants et que le pantalon bâille à la taille et sous les fesses. On dirait un vieillard, voûté et malingre, qui aurait volé les vêtements d'un géant. Tout en lui paraît inoffensif, son crâne dégarni, ses joues ridées couvertes de taches de son, ses épaules tremblantes, tout, sauf ses mains sèches et énormes, aux ongles épais comme des fossiles, ses mains de boucher qu'il frotte pour les réchauffer.

Il pénètre dans l'appartement en silence, pas à pas, comme s'il découvrait les lieux pour la première fois. Il inspecte les murs, passe son doigt sur les plinthes immaculées. Il touche tout de ses mains calleuses, caresse la housse du canapé, passe sa paume sur la surface de la table en formica. Le logement lui paraît vide, inhabité. Il aurait aimé faire quelques remarques à sa locataire, lui dire qu'en plus de payer son loyer en retard elle ne prenait pas soin des lieux. Mais la pièce est exactement telle qu'il l'a laissée, le jour où il lui a fait visiter le studio pour la première fois.

Debout, la main appuyée sur le dossier d'une chaise, il regarde Louise et il attend. Il la fixe, de ses yeux jaunes qui ne voient plus grand-chose mais qu'il n'est pas prêt à baisser. Il attend qu'elle parle. Qu'elle fouille dans son sac pour y prendre l'argent du loyer. Il attend qu'elle fasse le premier pas, qu'elle s'excuse de n'avoir pas répondu au courrier ni aux messages qu'il lui a laissés. Mais Louise ne dit rien. Elle reste debout contre la porte, comme ces petits chiens craintifs qui mordent quand on veut les apaiser.

« Vous avez commencé à faire vos cartons à ce que je vois. C'est bien. » Alizard désigne, de son gros doigt, les quelques caisses posées dans l'entrée. « Le prochain locataire sera là dans un mois. »

Il fait quelques pas et pousse mollement la porte de la cabine de douche. La vasque en porcelaine s'est comme enfoncée dans le sol et, en dessous, les planches pourries ont cédé.

« Qu'est-ce qui s'est passé ici ? »

Le propriétaire s'accroupit. Il marmonne, enlève sa veste qu'il pose par terre et met ses lunettes. Louise se tient debout derrière lui.

M. Alizard se retourne et d'une voix forte il répète :

« Je vous demande ce qui s'est passé ! »

Louise sursaute.

« Je ne sais pas. C'est arrivé il y a quelques jours. L'installation est vieille, je crois.

— Mais pas du tout. J'ai construit la cabine de douche moi-même. Vous devriez vous estimer chanceuse. À l'époque, c'est sur le palier qu'on se lavait. C'est moi, tout seul, qui ai installé la douche dans le studio.

— Ça s'est écroulé.

— C'est un défaut d'entretien, c'est évident. Vous ne croyez quand même pas que la réparation va être à ma charge alors que vous avez laissé la douche pourrir ? »

Louise le dévisage et M. Alizard a du mal à savoir ce que signifient ce regard fermé et ce silence.

« Pourquoi ne pas m'avoir appelé ? Ça fait combien de

192

temps que vous vivez comme ça ? » M. Alizard s'accroupit à nouveau, le front couvert de sueur.

Louise ne lui dit pas que ce studio n'est qu'un antre, une parenthèse où elle vient cacher son épuisement. C'est ailleurs qu'elle vit. Tous les jours, elle prend une douche dans l'appartement de Myriam et de Paul. Elle se déshabille dans leur chambre et elle pose délicatement ses vêtements sur le lit du couple. Puis elle traverse, nue, le salon pour atteindre la salle de bains. Adam est assis par terre et elle passe devant lui. Elle regarde l'enfant balbutiant et elle sait qu'il ne trahira pas son secret. Il ne dira rien du corps de Louise, de sa blancheur de statue, de ses seins de nacre, qui ont si peu connu le soleil.

Elle ne ferme pas la porte de la salle de bains pour pouvoir entendre l'enfant. Elle allume l'eau et elle reste immobile longtemps, aussi longtemps qu'elle peut, sous le jet brûlant. Elle ne se rhabille pas tout de suite. Elle enfonce ses doigts dans les pots de crème que Myriam accumule et elle masse ses mollets, ses cuisses, ses bras. Elle marche pieds nus dans l'appartement, le corps entouré d'une serviette blanche. Sa serviette, qu'elle cache tous les jours sous une pile dans un placard. Sa serviette à elle.

« Vous avez constaté le problème et vous n'avez pas essayé de le régler ? Vous préférez vivre comme les Roms ? »

Ce studio, en banlieue, il l'a gardé par sentimentalisme. Accroupi devant la douche, Alizard dramatise. Il souffle, en rajoute, porte ses mains à son front. Il tâte la mousse noire du bout des doigts et secoue la tête, comme s'il était le seul à mesurer la gravité de la situation. À haute voix, il évalue le prix de la réparation. « Ça va faire dans les huit cents euros. Au moins. » Il étale sa science du bricolage, utilise des mots techniques, prétend qu'il en aura pour plus de quinze jours à réparer ce désastre. Il cherche à impressionner la petite femme blonde qui ne dit toujours rien.

« Elle peut s'asseoir sur sa caution », pense-t-il. À l'époque, il avait insisté pour qu'elle lui verse deux mois de loyer, à titre de garantie. « C'est triste à dire, mais on ne peut pas faire confiance aux gens. » De mémoire de propriétaire, il n'a jamais eu à restituer cette somme. Personne n'est assez précautionneux : il y a toujours quelque chose à trouver, un défaut à mettre en lumière, une tache quelque part, une éraflure.

Alizard a le sens des affaires. Pendant trente ans, il a conduit un poids lourd entre la France et la Pologne. Il dormait dans sa cabine, mangeait à peine, résistait à la moindre tentation. Il mentait sur son temps de repos, se consolait de tout en calculant l'argent qu'il n'avait pas dépensé, satisfait de lui-même, d'être capable de s'infliger de tels sacrifices en prévision d'une fortune future.

Année après année, il a acquis des studios dans la banlieue parisienne et les a rénovés. Il les loue, pour un prix exorbitant, à des gens qui n'ont pas d'autre choix. À la fin de chaque mois, il fait le tour de ses propriétés pour récolter son loyer. Il passe la tête à travers l'embrasure des portes, parfois il s'impose, il entre, pour « jeter un œil », pour « s'assurer que tout va bien ». Il pose des questions indiscrètes auxquelles les locataires répondent de mauvaise grâce, priant pour qu'il s'en aille, qu'il sorte de leur cuisine, qu'il ôte son nez de leur placard. Mais il reste là et on finit par lui proposer quelque chose à boire, qu'il accepte et qu'il sirote lentement. Il parle de son mal de dos — « trente ans à conduire un camion, ça vous broie » —, il fait la conversation.

Il aime louer aux femmes, qu'il trouve plus soigneuses et qui font moins d'histoires. Il favorise les étudiantes, les mères célibataires, les divorcées mais pas les vieilles qui s'installent et ne paient plus, tout ça parce qu'elles ont la loi pour elles. Et puis Louise est arrivée, avec son sourire triste, ses cheveux blonds, son air perdu. Elle était recommandée par une ancienne locataire d'Alizard, une infirmière de l'hôpital Henri-Mondor qui avait toujours payé son loyer à l'heure.

Foutu sentimentalisme. Cette Louise n'avait personne. Pas d'enfants et un mari mort et enterré. Elle se tenait là, devant lui, une liasse de billets dans la main et il l'a trouvée jolie, élégante dans son chemisier à col Claudine. Elle le regardait, docile, pleine de gratitude. Elle a chuchoté : « J'ai été très malade » et à cet instant, il brûlait d'envie de lui poser des questions, de lui demander ce qu'elle avait fait depuis la mort de son mari, d'où elle venait et de quel mal elle avait souffert. Mais elle ne lui en a pas laissé le temps. Elle a dit : « Je viens de trouver un emploi, à Paris, dans une famille très bien. » Et la conversation s'est arrêtée là.

À présent, Bertrand Alizard a envie de se débarrasser de cette locataire mutique et négligente. Il n'est plus dupe. Il ne supporte plus ses excuses, ses manières fuyantes, ses retards de paiement. Il ne sait pas pourquoi mais la vue de Louise lui donne des frissons. Quelque chose en elle le dégoûte ; ce sourire énigmatique, ce maquillage outré, cette façon qu'elle a de le regarder de haut et de ne pas desserrer les lèvres. Jamais elle n'a répondu à un de ses sourires. Jamais elle n'a fait l'effort de remarquer qu'il avait mis une nouvelle veste et qu'il avait coiffé sur le côté sa triste mèche de cheveux roux.

Alizard se dirige vers l'évier. Il se lave les mains et il dit : « Je reviendrai dans huit jours avec du matériel et un ouvrier pour les travaux. Vous devriez terminer d'emballer vos cartons. »

Louise emmène les enfants en promenade. Ils passent de longs après-midi au square, où les arbres ont été taillés, où la pelouse qui a reverdi s'offre aux étudiants du quartier. Autour des balançoires, les enfants sont heureux de se retrouver même s'ils ignorent, la plupart du temps, le nom des uns et des autres. Pour eux, rien d'autre n'a d'importance que ce nouveau déguisement, ce jouet tout neuf, cette poussette miniature dans laquelle une petite fille a lové son bébé.

Louise ne s'est fait qu'une amie dans le quartier. À part Wafa, elle ne parle avec personne. Elle se contente de sourires polis, de signes discrets de la main. Quand elle est arrivée, les autres nounous du square ont gardé leurs distances. Louise jouait les duègnes, les intendantes, les nurses anglaises. Ses collègues lui reprochaient ses airs hautains et ses manières ridicules de dame du monde. Elle passait pour une donneuse de leçons, elle qui n'avait pas la décence de regarder ailleurs quand des nounous, le téléphone collé à l'oreille, oubliaient de tenir la main des enfants pour traverser la rue. Il lui est même arrivé de réprimander ostensiblement des petits que personne ne surveillait et qui volaient les jouets des autres ou tombaient d'une rambarde.

Les mois ont passé et sur ces bancs, des heures durant, les nounous ont appris à se connaître, presque malgré elles, comme les collègues d'un bureau à ciel ouvert. Tous les jours après l'école elles se voient, se croisent dans les supermarchés, chez le pédiatre ou au manège de la petite place. Louise a retenu certains prénoms ou leurs pays d'origine. Elle sait dans quels immeubles elles travaillent, le métier qu'exercent leurs patrons. Assise sous le rosier qui n'a fleuri qu'à moitié, elle écoute les interminables conversations téléphoniques que ces femmes tiennent en grignotant la fin d'un biscuit au chocolat.

Autour du toboggan et du bac à sable résonnent des notes de baoulé, de dioula, d'arabe et d'hindi, des mots d'amour sont prononcés en filipino ou en russe. Des langues du bout du monde contaminent le babil des enfants qui en apprennent des bribes que leurs parents, enchantés, leur font répéter. « Il parle l'arabe, je t'assure, écoute-le. » Puis avec les années, les enfants oublient et tandis que s'effacent le visage et la voix de la nounou à présent disparue, plus personne dans la maison ne se souvient de la façon de dire « maman » en lingala ou du nom de ces repas exotiques que la gentille nounou préparait. « Ce ragoût de viande, comment appelait-elle ça déjà ? »

Autour des enfants, qui tous se ressemblent, qui portent souvent les mêmes vêtements achetés dans les mêmes enseignes et sur l'étiquette desquels les mères ont pris soin d'écrire leurs noms pour éviter toute confusion, s'agite cette nuée de femmes. Il y a les jeunes filles voilées de noir, qui doivent être encore plus ponctuelles, plus douces, plus propres que les autres. Il y a celles qui changent de perruque toutes les semaines. Les Philippines qui supplient, en anglais, les enfants de ne pas sauter dans les flaques. Il y a les anciennes, qui connaissent le quartier depuis des années, qui tutoient la directrice d'école, celles qui rencontrent dans la rue des adolescents qu'elles ont un jour élevés et se persuadent qu'ils les ont reconnues, que s'ils n'ont pas dit bonjour c'est par timidité. Il y a les nouvelles, qui travaillent quelques mois et puis qui disparaissent sans dire au revoir, laissant derrière elles courir des rumeurs et des soupçons.

De Louise, les nounous savent peu de chose. Même Wafa, qui semble pourtant la connaître, s'est montrée discrète sur la vie de son amie. Elles ont bien essayé de lui poser des questions. La nounou blanche les intrigue. Combien de fois des parents l'ont-ils prise pour étalon, vantant ses qualités de cuisinière, sa disponibilité totale, évoquant l'entière confiance que Myriam lui voue ? Elles se demandent qui est cette femme si frêle et si parfaite. Chez qui a-t-elle travaillé avant de venir ici ? Dans quel quartier de Paris ? Est-elle mariée ? A-t-elle des enfants qu'elle retrouve le soir, après le travail ? Ses patrons sont-ils justes avec elle ?

Louise ne répond pas ou à peine et les nounous comprennent ce silence. Elles ont toutes des secrets inavouables. Elles cachent des souvenirs affreux de genoux fléchis, d'humiliations, de mensonges. Des souvenirs de voix qu'on entend à peine à l'autre bout du fil, de conversations qui coupent, de gens qui meurent et qu'on

199

n'a pas revus, d'argent réclamé jour après jour pour un enfant malade, qui ne vous reconnaît plus et qui a oublié le son de votre voix. Certaines, Louise le sait, ont volé, de petites choses, presque rien, comme une taxe prélevée sur le bonheur des autres. Certaines cachent leurs noms véritables. Il ne leur viendrait pas à l'idée d'en vouloir à Louise pour sa réserve. Elles se méfient, c'est tout.

Au square, on ne parle pas tant de soi ou bien par allusion. On ne veut pas que les larmes montent aux yeux. Les patrons suffisent à nourrir des conversations passionnées. Les nounous rient de leurs manies, de leurs habitudes, de leur mode de vie. Les patrons de Wafa sont avares, ceux d'Alba sont affreusement méfiants. La mère du petit Jules a des problèmes d'alcool. La plupart d'entre eux, se plaignent-elles, sont manipulés par leurs enfants, qu'ils voient très peu et auxquels ils cèdent sans cesse. Rosalia, une Philippine à la peau très brune, fume cigarette sur cigarette. « La patronne m'a surprise dans la rue la dernière fois. Je sais qu'elle me surveille. »

Pendant que les enfants courent sur les graviers, qu'ils creusent dans le bac à sable que la mairie a récemment dératisé, les femmes font du square à la fois un bureau de recrutement et un syndicat, un centre de réclamations et de petites annonces. Ici circulent les offres d'emploi, se racontent les litiges entre employeurs et employés. Les femmes viennent se plaindre à Lydie, la présidente autoproclamée, une grande Ivoirienne de cinquante ans qui porte des manteaux en fausse fourrure et se dessine de fins sourcils rouges au crayon.

À 18 heures, des bandes de jeunes investissent le

square. On les connaît. Ils viennent de la rue de Dunkerque, de la gare du Nord, on sait qu'ils laissent aux abords de l'aire de jeux des pipes cassées, qu'ils pissent dans les jardinières, qu'ils cherchent la bagarre. Les nounous, en les voyant, ramassent en vitesse les manteaux qui traînent, les tractopelles couvertes de sable, elles accrochent leurs sacs à main aux poussettes et s'en vont.

La procession traverse les grilles du square et les femmes se séparent, les unes remontent vers Montmartre ou Notre-Dame-de-Lorette, les autres, comme Louise et Lydie, descendent vers les Grands Boulevards. Elles marchent côte à côte. Louise tient Mila et Adam par la main. Quand le trottoir est trop étroit elle laisse Lydie la devancer, courbée sur sa poussette où dort un nourrisson.

« Il y a une jeune femme enceinte qui est passée hier. Elle va avoir des jumeaux en août », raconte Lydie.

Personne n'ignore que certaines mères, les plus avisées, les consciencieuses, viennent ici faire leur marché comme autrefois on se rendait sur les docks ou au fond d'une ruelle pour trouver une bonne ou un manutentionnaire. Les mères rôdent entre les bancs, elles observent les nounous, scrutent le visage des enfants quand ils reviennent entre les cuisses de ces femmes qui les mouchent d'un geste brusque ou les consolent après une chute. Parfois elles posent des questions. Elles enquêtent.

« Elle habite rue des Martyrs et elle accouche fin août. Comme elle cherche quelqu'un, j'ai pensé à toi », conclut Lydie.

Louise lève vers elle ses yeux de poupée. Elle entend la voix de Lydie, loin, elle l'entend résonner dans son crâne, sans que les mots se détachent, sans que du sens émerge de ce magma. Elle se baisse, prend Adam dans ses bras et attrape Mila sous l'aisselle. Lydie hausse la voix, elle répète quelque chose, elle croit peut-être que Louise ne l'a pas entendue, qu'elle est distraite, tout entière occupée par les enfants.

« Qu'est-ce que tu en penses alors ? Je lui donne ton numéro ? »

Louise ne répond pas. Elle prend son élan et elle avance, brutale, sourde. Elle coupe la route à Lydie et dans sa fuite, d'un geste brusque, elle renverse la poussette dans laquelle l'enfant, réveillé en sursaut, se met à hurler.

« Mais ça ne va pas ou quoi ? » crie la nounou dont toutes les courses se sont renversées dans le caniveau. Louise est loin déjà. Dans la rue, des gens se sont attroupés autour de l'Ivoirienne. On ramasse des mandarines qui roulent sur le trottoir, on jette à la poubelle la baguette détrempée. On s'inquiète pour le bébé, qui n'a rien, heureusement.

Lydie racontera plusieurs fois cette histoire incroyable et elle le jurera : « Non, ce n'était pas un accident. Elle a renversé la poussette. Elle l'a fait exprès. »

L'obsession de l'enfant tourne à vide dans sa tête. Elle ne pense qu'à ça. Ce bébé, qu'elle aimera follement, est la solution à tous ses problèmes. Une fois mis en route, il fera taire les mégères du square, il fera reculer son affreux propriétaire. Il protégera la place de Louise en son royaume. Elle se persuade que Paul et Myriam n'ont pas assez de temps pour eux. Que Mila et Adam sont un obstacle à son arrivée. C'est leur faute si le couple ne parvient pas à se retrouver. Leurs caprices les épuisent, le sommeil trop léger d'Adam coupe court à leurs étreintes. S'ils n'étaient pas sans cesse dans leurs pattes, à geindre, à réclamer de la tendresse, Paul et Myriam pourraient aller de l'avant et faire à Louise un enfant. Ce bébé, elle le désire avec une violence de fanatique, un aveuglement de possédée. Elle le veut comme elle a rarement voulu, au point d'avoir mal, au point d'être capable d'étouffer, de brûler, d'anéantir tout ce qui se tient entre elle et la satisfaction de son désir.

Un soir, Louise attend Myriam avec impatience. Quand celle-ci ouvre la porte, Louise lui saute dessus, les yeux brillants. Elle tient Mila par la main. La nounou a l'air tendue, concentrée. Elle semble faire un grand effort pour se contenir, pour ne pas sautiller ou pousser un cri. Elle a pensé à ce moment toute la journée. Son plan lui paraît parfait et il suffit maintenant que Myriam soit d'accord, qu'elle se laisse faire, qu'elle tombe dans les bras de Paul.

« Je voudrais emmener les enfants manger au restaurant. Comme ça vous dînerez tranquille, avec votre mari. »

Myriam pose son sac sur le fauteuil. Louise la suit des yeux, elle s'approche, se tient tout près. Myriam peut sentir son souffle sur elle. Elle l'empêche de penser. Louise est comme une enfant dont les yeux disent « Alors ? », dont le corps tout entier est parcouru par l'impatience, l'exaltation.

« Oh, je ne sais pas. On n'avait pas prévu. Peut-être une autre fois. » Myriam enlève sa veste et commence à marcher vers sa chambre. Mais Mila la retient. L'enfant entre en scène, parfaite complice de sa nounou. Elle supplie de sa voix douce :

« Maman, s'il te plaît. On veut aller avec Louise au restaurant. »

Myriam finit par céder. Elle insiste pour payer le dîner, et déjà, elle cherche dans son sac mais Louise l'arrête. « S'il vous plaît. Ce soir, c'est moi qui les invite. »

Dans sa poche, contre sa cuisse, Louise tient un billet, qu'elle caresse parfois du bout des doigts. Ils marchent jusqu'au restaurant. Elle a repéré à l'avance ce petit bistrot où se retrouvent surtout des étudiants, amateurs de la bière à trois euros. Mais ce soir, le bistrot est presque vide. Le patron, un Chinois, est assis derrière le comptoir, sous la lumière des néons. Il porte une chemise rouge avec des imprimés criards et il discute avec une femme, assise face à sa bière, les chaussettes roulées sur ses grosses chevilles. Sur la terrasse, deux hommes fument.

Louise pousse Mila dans le restaurant. Il flotte dans la salle une odeur de tabac froid, de ragoût et de sueur qui donne à la petite fille envie de vomir. Mila est très déçue. Elle s'assoit, scrute la salle vide, les étagères sales sur lesquelles sont posés des pots de ketchup et de moutarde. Elle n'imaginait pas ça. Elle croyait voir de jolies dames, elle pensait qu'il y aurait du bruit, de la musique, des amoureux. Au lieu de ça, elle s'affale sur la table graisseuse et fixe l'écran de télévision au-dessus du comptoir.

Louise, Adam sur les genoux, dit qu'elle ne veut pas manger. « Je choisis pour vous, d'accord ? » Elle ne laisse pas à Mila le temps de répondre et elle demande des saucisses et des frites. « Ils partageront », précise-t-elle. Le Chinois répond à peine et lui retire le menu des mains.

Louise a commandé un verre de vin, qu'elle boit tout doucement. Gentiment, elle essaie de faire la conversation à Mila. Elle a apporté des feuilles et des crayons qu'elle pose sur la table. Mais Mila n'a pas envie de dessiner. Elle n'a pas très faim non plus et elle touche à peine à son plat. Adam est retourné dans sa poussette, il se frotte les yeux de ses petits poings fermés.

Louise regarde la vitre, sa montre, la rue, le comptoir sur lequel le patron s'appuie. Elle se ronge les ongles, sourit puis son regard devient vague, absent. Elle voudrait occuper ses mains à quelque chose, tendre son esprit tout entier vers une seule pensée, mais elle n'est que débris de verre, son âme est lestée de cailloux. Elle passe à plusieurs reprises sa main repliée sur la table comme pour ramasser des miettes invisibles ou pour en lisser la surface froide. Des images confuses l'envahissent, sans lien entre elles, des visions défilent de plus en plus vite, liant des souvenirs à des regrets, des visages à des fantasmes jamais réalisés. L'odeur de plastique dans la cour de l'hôpital où on l'emmenait faire des promenades. Le rire de Stéphanie, à la fois éclatant et étouffé, comme un rire de hyène. Les visages d'enfants oubliés, la douceur des cheveux caressés du bout des doigts, le goût crayeux d'un chausson aux pommes qui avait séché au fond d'un sac et qu'elle avait quand même mangé. Elle entend la voix de Bertrand Alizard, sa voix qui ment, et s'y mêle la voix des autres, de tous ceux qui lui ont donné des ordres, des conseils, qui ont proféré des injonctions, la voix douce même de cette femme huissier qui, elle s'en souvient, s'appelait Isabelle.

Elle sourit à Mila qu'elle voudrait consoler. Elle sait bien que la petite fille a envie de pleurer. Elle connaît cette impression, ce poids sur la poitrine, cette gêne d'être là. Elle sait aussi que Mila se contient, qu'elle a de la retenue, des politesses bourgeoises, qu'elle est capable d'attentions qui ne sont pas de son âge. Louise commande un autre verre et tandis qu'elle boit, elle observe la petite dont le regard fixe l'écran de télévision et elle devine, très nettement, les traits de sa mère sous le masque de l'enfance. Les gestes innocents de la petite fille portent, en bourgeon, une nervosité de femme, une rudesse de patronne.

Le Chinois ramasse les verres vides et l'assiette à moitié pleine. Il pose sur la table l'addition gribouillée sur une feuille à carreaux. Louise ne bouge pas. Elle attend que le temps passe, que la nuit s'avance, elle pense à Paul et à Myriam, jouissant de leur tranquillité, de l'appartement vide, du dîner qu'elle a laissé sur la table. Ils ont mangé, sans doute, debout dans la cuisine, comme avant la naissance des enfants. Paul sert du vin à sa femme, il termine son verre. Sa main glisse à présent sur la peau de Myriam et ils rient, ils sont comme ça, ce sont des gens qui rient dans l'amour, dans le désir, dans l'impudeur.

Louise finit par se lever. Ils sortent du restaurant. Mila est soulagée. Elle a les paupières lourdes, elle veut retourner à son lit maintenant. Dans sa poussette, Adam s'est endormi. Louise rajuste la couverture sur l'enfant. Dès que la nuit tombe, l'hiver, qui se tenait tapi, reprend sa place, s'insinue sous les vêtements.

Louise tient la main de la petite fille et elles marchent, longtemps, dans un Paris d'où tous les enfants ont disparu. Elles longent les Grands Boulevards, passent devant les théâtres et les cafés bondés. Elles empruntent des rues de plus en plus sombres et étroites, débouchant parfois sur une petite place où des jeunes fument des joints adossés à une poubelle.

Ces rues, Mila ne les reconnaît pas. Une lumière jaune éclaire les trottoirs. Ces maisons, ces restaurants lui semblent très loin de chez elle et elle lève vers Louise des yeux inquiets. Elle attend une parole rassurante.

Une surprise peut-être ? Mais Louise avance, avance, ne brisant son silence que pour murmurer : « Allons, tu viens ? » La petite tord ses chevilles contre les pavés, elle a le ventre tenaillé par l'angoisse, persuadée que ses plaintes ne pourraient qu'aggraver les choses. Elle sent qu'un caprice ne servirait à rien. Rue Montmartre, Mila observe les filles qui fument devant les bars, les filles en talons hauts, qui crient un peu trop fort et que le patron rabroue : « Il y a des voisins ici, fermez-la un peu ! » La petite a perdu tous ses repères, elle ne sait plus si c'est la même ville, si d'ici elle peut voir sa maison, si ses parents savent où elle est.

Brusquement, Louise s'arrête au milieu d'une rue animée. Elle regarde en l'air, gare la poussette contre le mur et elle demande à Mila :

« À quel parfum la veux-tu ? »

Derrière le comptoir, un homme attend avec un air las que l'enfant se décide. Mila est trop petite pour voir les bacs de glace, elle se hisse sur la pointe des pieds et puis, nerveuse, elle répond :

« À la fraise. »

Une main dans celle de Louise et l'autre agrippant son cornet, Mila fait le chemin inverse dans la nuit, lapant la glace qui lui donne affreusement mal à la tête. Elle ferme les yeux très fort, pour faire passer la douleur, essaie de se concentrer sur le goût de fraises écrasées et sur les petits morceaux de fruits qui se coincent entre ses dents. Dans son estomac vide la glace tombe en lourds flocons.

Ils prennent le bus pour rentrer. Mila demande si elle peut mettre le ticket dans la machine, comme elle le fait chaque fois qu'elles prennent le bus ensemble. Mais Louise la fait taire. « La nuit, pas besoin de ticket. Ne t'en fais pas. »

Quand Louise ouvre la porte de l'appartement, Paul est couché sur le canapé. Il écoute un disque, les yeux clos. Mila se précipite sur lui. Elle saute dans ses bras et enfonce son visage glacé dans le cou de son père. Paul fait semblant de la gronder, elle qui est sortie si tard, qui a passé la soirée à s'amuser au restaurant, comme une grande jeune fille. Myriam, leur dit-il, a pris un bain et elle s'est couchée tôt. « Le travail l'a épuisée. Je ne l'ai même pas vue. »

Une brutale mélancolie étreint Louise. Tout ça n'a servi à rien. Elle a froid, mal aux jambes, elle a dépensé son dernier billet et Myriam n'a même pas attendu son mari pour aller dormir.

On se sent seul auprès des enfants. Ils se fichent des contours de notre monde. Ils en devinent la dureté, la noirceur mais n'en veulent rien savoir. Louise leur parle et ils détournent la tête. Elle leur tient les mains, se met à leur hauteur mais déjà ils regardent ailleurs, ils ont vu quelque chose. Ils ont trouvé un jeu qui les excuse de ne pas entendre. Ils ne font pas semblant de plaindre les malheureux.

Elle s'assoit à côté de Mila. La petite fille, accroupie sur une chaise, fait des dessins. Elle est capable de rester concentrée pendant près d'une heure devant ses feuilles et son tas de feutres. Elle colorie avec application, attentive aux plus petits détails. Louise aime s'installer à côté d'elle, regarder les couleurs s'étaler sur la feuille. Elle assiste, silencieuse, à l'éclosion de fleurs géantes dans le jardin d'une maison orange où des personnages aux longues mains et aux corps longilignes dorment sur la pelouse. Mila ne laisse aucune place au vide. Des nuages, des voitures volantes, des ballons gonflés emplissent le ciel d'une densité moirée.

« C'est qui, ça ? demande Louise.

— Ça ? » Mila pose son doigt sur un personnage immense, souriant, couché sur plus de la moitié de la feuille.

« Ça, c'est Mila. »

Louise ne parvient plus à trouver de consolation auprès des enfants. Les histoires qu'elle raconte s'enlisent et Mila le lui fait remarquer. Les créatures mythiques ont perdu en vivacité et en splendeur. À présent, ses personnages ont oublié le but et le sens de leur combat, et ses contes ne sont plus que le récit de longues errances, hachées, désordonnées, de princesses appauvries, de dragons malades, soliloques égoïstes auxquels les enfants ne comprennent rien et qui suscitent leur impatience. « Trouve autre chose », la supplie Mila et Louise ne trouve pas, embourbée dans ses mots comme dans des sables mouvants.

Louise rit moins, elle met peu d'entrain dans les parties de petits chevaux ou dans les batailles de coussins. Elle adore pourtant ces deux enfants qu'elle passe des heures à observer. Elle en pleurerait, de ce regard qu'ils lui lancent parfois, cherchant son approbation ou son aide. Elle aime surtout la façon qu'a Adam de se retourner, pour la prendre à témoin de ses progrès, de ses joies, pour lui signifier que dans tous ses gestes il y a quelque chose qui lui est destiné, à elle et à elle seule. Elle voudrait, jusqu'à l'ivresse, se nourrir de leur innocence, de leur enthousiasme. Elle voudrait voir avec leurs yeux quand ils regardent quelque chose pour la première fois, quand ils comprennent la logique d'une mécanique, qu'ils en espèrent l'infinie répétition sans jamais penser, à l'avance, à la lassitude qui viendra.

Toute la journée, Louise laisse la télévision allumée. Elle regarde des reportages apocalyptiques, des émissions idiotes, des jeux dont elle ne comprend pas toutes les règles. Depuis les attentats, Myriam lui a interdit de laisser les enfants devant le poste. Mais Louise s'en fiche. Mila sait qu'il ne faut pas répéter ce qu'elle a vu devant ses parents. Ne pas prononcer les mots « traque », « terroriste », « tués ». L'enfant regarde, avide, silencieuse, les informations qui défilent. Puis quand elle n'en peut plus, elle se tourne vers son frère. Ils jouent, ils se disputent. Mila le pousse contre le mur et le petit garçon rugit avant de lui sauter au visage.

Louise ne se retourne pas. Elle reste le regard rivé sur l'écran, le corps totalement immobile. La nounou refuse d'aller au square. Elle ne veut pas croiser les autres filles ou tomber sur la vieille voisine, devant qui elle s'est humiliée en lui proposant ses services. Les enfants, nerveux, tournent en rond dans l'appartement, ils la supplient, ils ont envie de prendre l'air, de jouer avec les copains, d'acheter une gaufre au chocolat en haut de la rue.

Les cris des petits l'irritent, elle en hurlerait elle aussi. Le pépiement harassant des enfants, leurs voix de crécelle, leurs « pourquoi ? », leurs désirs égoïstes lui rompent le crâne. « C'est quand demain ? » demande Mila, des centaines de fois. Louise ne peut pas chanter une chanson sans qu'ils la supplient de recommencer, ils exigent l'éternelle répétition de tout, des histoires, des jeux, des grimaces, et Louise n'en peut plus. Elle n'a plus

d'indulgence pour les pleurs, les caprices, les joies hystériques. Il lui prend parfois l'envie de poser ses doigts
autour du cou d'Adam et de le secouer jusqu'à ce qu'il
s'évanouisse. Elle chasse ces idées d'un grand mouvement de tête. Elle parvient à ne plus y penser mais une
marée sombre et gluante l'a envahie tout entière.

« *Il faut que quelqu'un meure. Il faut que quelqu'un meure*
pour que nous soyons heureux. »
Des refrains morbides bercent Louise quand elle
marche. Des phrases, qu'elle n'a pas inventées et dont
elle n'est pas certaine de comprendre le sens, habitent
son esprit. Son cœur s'est endurci. Les années l'ont
recouvert d'une écorce épaisse et froide et elle l'entend
à peine battre. Plus rien ne parvient à l'émouvoir. Elle
doit admettre qu'elle ne sait plus aimer. Elle a épuisé
tout ce que son cœur contenait de tendresse, ses mains
n'ont plus rien à frôler.
« Je serai punie pour ça, s'entend-elle penser. Je serai
punie de ne pas savoir aimer. »

Il existe des photographies de cet après-midi-là. Elles n'ont pas été développées mais elles existent, quelque part, au fond d'une machine. On y voit surtout les enfants. Adam, couché dans l'herbe, à moitié nu. De ses grands yeux bleus, il regarde sur le côté, l'air absent, presque mélancolique malgré son âge tendre. Sur une de ces images, Mila court au milieu d'une grande allée plantée d'arbres. Elle a mis une robe blanche sur laquelle sont dessinés des papillons. Elle est pieds nus. Sur une autre photo, Paul porte Adam sur ses épaules et Mila dans ses bras. Myriam est derrière l'objectif. C'est elle qui saisit cet instant. Le visage de son mari est flou, son sourire est caché par un des pieds du petit garçon. Myriam rit elle aussi, elle ne pense pas à leur dire de rester immobiles. D'arrêter un moment de gigoter. « Pour la photo, s'il vous plaît. »

Elle y tient pourtant, à ces photographies, qu'elle prend par centaines et qu'elle regarde dans les moments de mélancolie. Dans le métro, entre deux rendez-vous, parfois même pendant un dîner, elle fait glisser sous ses doigts le portrait de ses enfants. Elle croit aussi qu'il est de son devoir de mère de fixer ces instants, de détenir les preuves du bonheur passé. Elle pourra un jour les tendre sous le nez de Mila ou d'Adam. Elle égrènera ses souvenirs et l'image viendra réveiller des sensations anciennes, des détails, une atmosphère. On lui a toujours dit que les enfants n'étaient qu'un bonheur éphémère, une vision furtive, une impatience. Une éternelle métamorphose. Des visages ronds qui s'imprègnent de gravité sans qu'on s'en soit rendu compte. Alors toutes les fois qu'elle en a l'occasion, c'est derrière l'écran de son iPhone qu'elle regarde ses enfants qui sont, pour elle, le plus beau paysage du monde.

Thomas, l'ami de Paul, les a invités à passer la journée dans sa maison de campagne. Il s'y isole pour composer des chansons et entretenir un alcoolisme tenace. Thomas élève des poneys au fond de son parc. Des poneys irréels, blonds comme des actrices américaines et courts sur pattes. Un petit ruisseau traverse l'immense jardin, dont Thomas lui-même ne connaît pas les frontières. Les enfants déjeunent sur l'herbe. Les parents boivent du rosé et Thomas finit par poser sur la table le cubi en carton qu'il tète sans cesse. « On est entre nous, non ? On ne va pas chipoter. »

Thomas n'a pas d'enfants et il ne viendrait pas à l'idée de Paul ou de Myriam de l'ennuyer avec leurs histoires de nounou, d'éducation, de vacances en famille. Pendant cette belle journée de mai, ils oublient leurs angoisses. Leurs préoccupations leur apparaissent pour ce qu'elles sont : de petits soucis du quotidien, presque des caprices. Ils n'ont plus en tête que l'avenir, les projets, les bonheurs près d'éclore. Myriam en est certaine,

Pascal va lui proposer en septembre de devenir associée. Elle pourra choisir ses affaires, déléguer à des stagiaires le travail ingrat. Paul regarde sa femme et ses enfants. Il se dit que le plus dur est accompli, que le meilleur reste à venir.

Ils passent une journée merveilleuse à courir, à jouer. Les enfants montent les poneys et leur donnent des pommes et des carottes. Ils arrachent les mauvaises herbes dans ce que Thomas appelle le potager, où jamais un légume n'a poussé. Paul attrape une guitare et il fait rire tout le monde. Puis tous se taisent quand Thomas chante et que Myriam fait les chœurs. Les enfants ouvrent de grands yeux devant ces adultes si sages qui chantent dans une langue qu'ils ne comprennent pas.

Au moment de rentrer, les petits poussent des hurlements. Adam se jette par terre, il refuse de partir. Mila, qui est épuisée elle aussi, sanglote dans les bras de Thomas. À peine installés dans la voiture, les enfants s'endorment. Myriam et Paul sont silencieux. Ils observent les champs de colza ahuris dans le coucher de soleil fauve qui baigne les aires de repos, les zones industrielles, les éoliennes grises d'un soupçon de poésie.

Un accident a bloqué l'autoroute et Paul, que les embouteillages rendent fou, décide de prendre une sortie et de rejoindre Paris par la nationale. « Je n'aurai qu'à suivre mon GPS. » Ils s'enfoncent dans des rues sombres le long desquelles des maisons bourgeoises et laides gardent leurs volets fermés. Myriam s'assoupit. Les feuilles des arbres, comme des milliers de diamants

216

noirs, brillent sous les lampadaires. Elle rouvre parfois les yeux, inquiète que Paul s'abandonne, lui aussi, à la rêverie. Paul la rassure et elle se rendort.

Elle est réveillée par le bruit des klaxons et les yeux mi-clos, l'esprit encore embrumé par le sommeil et l'excès de rosé, elle ne reconnaît pas tout de suite l'avenue sur laquelle ils se retrouvent bloqués. « On est où ? » demande-t-elle à Paul, qui ne répond pas, qui n'en sait rien et qui est tout entier occupé à comprendre ce qui bloque, ce qui les empêche d'avancer. Myriam tourne la tête. Elle se serait rendormie si elle n'avait pas vu, là, sur le trottoir d'en face, la silhouette familière de Louise.

« Regarde », dit-elle à Paul en tendant le bras. Mais Paul est concentré sur l'embouteillage. Il étudie les possibilités de s'en sortir, de faire demi-tour. Il s'est engagé dans un carrefour où les voitures, qui arrivent de partout, n'avancent plus. Les scooters se fraient un chemin, les piétons frôlent les capots. Les feux passent du rouge au vert en quelques secondes. Personne n'avance.

« Regarde, là-bas. Je crois que c'est Louise. »

Myriam se soulève un peu de son siège pour mieux voir le visage de la femme qui marche, de l'autre côté du carrefour. Elle pourrait baisser la vitre et l'appeler, mais elle aurait l'air ridicule, et la nounou, sans doute, ne l'entendrait pas. Myriam voit les cheveux blonds, le chignon sur la nuque, la démarche inimitable de Louise, agile et tremblante. La nounou, lui semble-t-il, avance lentement, détaillant les vitrines dans cette rue commerçante. Puis Myriam perd de vue sa silhouette, son corps menu est masqué par les passants, emporté par un groupe qui rit et agite les bras. Et elle réapparaît de l'autre côté du passage piéton, comme dans les images d'un vieux film aux teintes un peu fanées, dans un Paris que l'obscurité rend irréel. Louise paraît incongrue, avec son éternel col Claudine et sa jupe trop longue, comme un personnage qui se serait trompé d'histoire et se retrouverait dans un monde étranger, condamné à errer pour toujours.

Paul klaxonne furieusement et les enfants se réveillent en sursaut. Il passe le bras par la fenêtre, regarde derrière lui et prend une rue perpendiculaire à toute vitesse, en pestant. Myriam voudrait le retenir, lui dire qu'ils ont le temps, qu'il ne sert à rien de se mettre en colère. Nostalgique, elle contemple jusqu'au dernier instant, immobile sous le lampadaire, une Louise lunaire, presque floue, qui attend quelque chose, au bord d'une frontière qu'elle s'apprête à traverser et derrière laquelle elle va disparaître.

Myriam s'enfonce dans son siège. Elle regarde à nouveau devant elle, troublée comme si elle avait croisé un souvenir, une très vieille connaissance, un amour de jeunesse. Elle se demande où Louise va, si c'était bien elle et ce qu'elle faisait là. Elle aurait voulu l'observer encore à travers cette vitre, la regarder vivre. Le fait de la voir sur ce trottoir, par hasard, dans un lieu si éloigné de leurs habitudes, suscite en elle une curiosité violente. Pour la première fois, elle tente d'imaginer, charnellement, tout ce qu'est Louise quand elle n'est pas avec eux.

En entendant sa mère prononcer le nom de la nourrice, Adam a, lui aussi, regardé par la fenêtre.

« C'est ma nounou », crie-t-il, en la montrant du doigt, comme s'il ne comprenait pas qu'elle puisse vivre ailleurs, seule, qu'elle puisse marcher sans prendre appui sur une poussette ou tenir la main d'un enfant.

Il demande :

« Elle va où, Louise ?

— Elle va chez elle, répond Myriam. Dans sa maison. »

Le capitaine Nina Dorval garde les yeux ouverts, allongée sur son lit, dans son appartement du boulevard de Strasbourg. Paris est déserté en ce mois d'août pluvieux. La nuit est silencieuse. Demain matin, à 7 h 30, à l'heure où Louise chaque jour rejoignait les enfants, on enlèvera les scellés de l'appartement de la rue d'Hauteville et on procédera à la reconstitution. Nina a prévenu le juge d'instruction, le procureur, les avocats. « C'est moi, a-t-elle dit, qui ferai la nounou. » Personne n'oserait la contredire. Le capitaine connaît cette affaire mieux que personne. Elle est arrivée la première sur la scène de crime, après le coup de téléphone de Rose Grinberg. La professeur de musique hurlait: « C'est la nounou. Elle a tué les enfants. »

Ce jour-là, la policière s'est garée devant l'immeuble. Une ambulance venait de quitter les lieux. On transportait la petite fille vers l'hôpital le plus proche. Des badauds, déjà, encombraient la rue, fascinés par le hurlement des sirènes, la précipitation des secours, la pâleur des officiers de police. Les passants faisaient semblant d'attendre quelque chose, ils posaient des questions, restaient immobiles sur le seuil de la boulangerie ou sous un porche. Un homme, le bras tendu, a pris l'entrée de l'immeuble en photo. Nina Dorval l'a fait évacuer.

Dans l'escalier, le capitaine a croisé les secours qui évacuaient la mère. La prévenue était encore en haut, inconsciente. Elle tenait dans sa main un petit couteau en céramique blanche. « Faites-la sortir par la porte de derrière », a ordonné Nina.

Elle est entrée dans l'appartement. Elle a assigné un rôle à chacun. Elle a regardé travailler les officiers de la police scientifique dans leurs larges combinaisons blanches. Dans la salle de bains, elle a retiré ses gants et s'est penchée au-dessus de la baignoire. Elle a commencé par plonger le bout de ses doigts dans l'eau trouble et glacée, traçant des sillons, mettant l'eau en mouvement. Un bateau de pirates a été emporté par les vagues. Elle ne pouvait se résoudre à retirer sa main, quelque chose l'attirait vers le fond. Elle a immergé son bras jusqu'au coude puis jusqu'à l'épaule et c'est ainsi qu'un enquêteur l'a trouvée, accroupie, la manche trempée. Il lui a demandé de sortir ; il allait faire des relevés.

Nina Dorval a déambulé dans l'appartement, le dictaphone collé aux lèvres. Elle a décrit les lieux, l'odeur de savon et de sang, le bruit de la télévision allumée et le nom de l'émission qu'on passait. Aucun détail n'a été omis : le hublot de la machine à laver ouvert d'où dépassait une chemise froissée, l'évier plein, les vêtements des enfants jetés sur le sol. Sur la table étaient posées deux assiettes en plastique rose où séchaient les restes d'un déjeuner. On a pris en photo les coquillettes et les morceaux de jambon. Plus tard, quand elle a mieux connu l'histoire de Louise, quand on lui a raconté la légende de cette nounou maniaque, Nina Dorval s'est étonnée du désordre de l'appartement.

Elle a envoyé le lieutenant Verdier à la gare du Nord chercher Paul qui rentrait de voyage. Il saura s'y prendre, a-t-elle pensé. C'est un homme d'expérience, il trouvera les mots, il parviendra à le calmer. Le lieutenant est arrivé très en avance. Il s'est assis à l'abri des courants d'air et il a regardé arriver les trains. Il avait envie de fumer. Des passagers sont descendus d'un wagon et se sont mis à courir, en grappes. Ils devaient sans doute attraper une correspondance et le lieutenant suivait des yeux cette foule en sueur, les femmes en talons hauts, tenant contre elles leur sac à main, les hommes qui criaient : « Poussez-vous ! » Puis le train de Londres est arrivé. Le lieutenant Verdier aurait pu attendre au pied de la voiture dans laquelle voyageait Paul mais il a préféré se placer au bout du quai. Il a regardé venir vers lui le père à présent orphelin, un casque sur les oreilles, un petit sac à la main. Il n'est pas allé à sa rencontre. Il voulait lui laisser encore quelques minutes. Encore quelques secondes avant de l'abandonner dans une nuit interminable.

Le policier lui a montré son badge. Il lui a demandé de le suivre et Paul a d'abord cru à une erreur.

Semaine après semaine, le capitaine Dorval a remonté le cours des événements. Malgré le silence de Louise, qui ne sortait pas du coma, malgré les témoignages concordants sur cette nounou irréprochable, elle s'est dit qu'elle parviendrait à trouver la faille. Elle s'est juré de comprendre ce qui s'était passé dans ce monde secret et chaud de l'enfance, derrière les portes closes. Elle a fait venir Wafa au 36 et elle l'a interrogée. La jeune femme n'arrêtait pas de pleurer, elle ne parvenait pas à articuler un mot et la policière a fini par perdre patience. Elle lui a dit qu'elle se fichait bien de sa situation, de ses papiers, de son contrat de travail, des promesses de Louise et de sa naïveté à elle. Ce qu'elle voulait savoir, c'est si elle avait vu Louise, ce jour-là. Wafa a raconté qu'elle était venue le matin à l'appartement. Elle avait sonné et Louise avait entrebâillé la porte. « On aurait dit qu'elle cachait quelque chose. » Mais Alphonse avait couru, il s'était faufilé entre les jambes de Louise et il avait rejoint les enfants, encore en pyjama, assis devant la télévision. « J'ai essayé de la convaincre. Je lui ai dit qu'on pourrait sortir, faire une promenade. Il faisait beau et les enfants allaient s'ennuyer. » Louise n'avait rien voulu entendre. « Elle ne m'a pas laissée entrer. J'ai appelé Alphonse, qui était très déçu, et nous sommes partis. »

Mais Louise n'est pas restée dans l'appartement. Rose Grinberg est formelle, elle a rencontré la nounou dans le hall de l'immeuble, une heure avant sa sieste. Une heure avant le meurtre. D'où venait Louise ? Où était-elle allée ? Combien de temps est-elle restée dehors ? Les policiers ont fait le tour du quartier, la photo de Louise à la main. Ils ont interrogé tout le monde. Ils ont dû faire taire les menteurs, les solitaires qui fabulent pour faire passer le temps. Ils sont allés au square, au café Le Paradis, ils ont marché dans les passages de la rue du Faubourg-Saint-Denis et ont questionné les commerçants. Et puis ils ont retrouvé cette vidéo du supermarché. Mille fois, le capitaine a repassé l'enregistrement. Elle a regardé jusqu'à la nausée la tranquille démarche de Louise dans les rayons. Elle a observé ses mains, ses toutes petites mains, qui se saisissaient d'un pack de lait, d'un paquet de biscuits et d'une bouteille de vin. Sur ces images, les enfants courent d'un rayon à l'autre sans que la nounou les suive des yeux. Adam fait tomber des paquets, il se cogne aux genoux d'une femme qui pousse un caddie. Mila essaie d'attraper des œufs en chocolat. Louise est calme, elle n'ouvre pas la bouche, elle ne les appelle pas. Elle se dirige vers la caisse et ce sont eux qui reviennent vers elle, en riant. Ils se jettent entre ses jambes, Adam tire sur sa jupe, mais Louise les ignore. À peine montre-t-elle quelques signes d'agacement, que la policière devine, une légère contraction de la lèvre, un regard furtif, par en dessous. Louise, se dit la policière, ressemble à ces mères duplices qui, dans les contes, abandonnent leurs enfants aux ténèbres d'une forêt.

À 16 heures, Rose Grinberg a fermé les volets. Wafa a marché jusqu'au square et elle s'est assise sur un banc. Hervé a terminé son service. C'est à cette heure-là que Louise s'est dirigée vers la salle de bains. Demain, Nina Dorval devra répéter les mêmes gestes : ouvrir le robinet, laisser sa main sous le filet d'eau pour évaluer la température comme elle le faisait pour ses propres fils, quand ils étaient encore petits. Et elle dira : « Les enfants, venez. Vous allez prendre un bain. »

Il a fallu demander à Paul si Adam et Mila aimaient

l'eau. S'ils étaient réticents, en général, avant de se déshabiller. S'ils prenaient du plaisir à barboter au milieu de leurs jouets. « Une dispute a pu éclater, a expliqué le capitaine. Pensez-vous qu'ils aient pu se méfier ou plutôt s'étonner de prendre un bain à 4 heures de l'après-midi ? » On a montré au père la photo de l'arme du crime. Un couteau de cuisine, banal mais si petit que Louise avait sans doute pu le dissimuler en partie dans sa paume. Nina lui a demandé s'il le reconnaissait. S'il était à eux ou si Louise l'avait acheté, si elle avait prémédité son geste. « Prenez votre temps », a-t-elle dit. Mais Paul n'a pas eu besoin de temps. Ce couteau, c'est celui que Thomas leur avait apporté en cadeau du Japon. Un couteau en céramique, extrêmement aiguisé, dont le simple contact pouvait suffire à entailler la pulpe des doigts. Un couteau à sushi en échange duquel Myriam lui avait donné une pièce d'un euro, pour conjurer le mauvais sort. « Mais on ne l'utilisait jamais pour la cuisine. Myriam l'avait rangé dans un placard, en hauteur. Elle voulait le tenir hors de portée des enfants. »

Après deux mois d'enquête, nuit et jour, deux mois à traquer le passé de cette femme, Nina se met à croire qu'elle connaît Louise mieux que quiconque. Elle a convoqué Bertrand Alizard. L'homme tremblait sur son fauteuil dans le bureau du 36. Des gouttes de sueur coulaient sur ses taches de son. Lui, qui a si peur du sang et des mauvaises surprises, est resté dans le couloir quand la police a fouillé le studio de Louise. Les tiroirs étaient vides, les vitres immaculées. Ils n'y ont rien trouvé. Rien qu'une vieille photo de Stéphanie et quelques enveloppes encore fermées.

Nina Dorval a plongé les mains dans l'âme pourrissante de Louise. D'elle, elle a voulu tout savoir. Elle a cru pouvoir briser à coups de poing le mur de mutisme dans lequel la nounou s'était piégée. Elle a interrogé les Rouvier, M. Franck, Mme Perrin, les médecins de l'hôpital Henri-Mondor, où Louise avait été admise pour des troubles de l'humeur. Elle a lu pendant des heures le carnet à couverture fleurie et elle rêvait, la nuit, de ces lettres tordues, de ces noms inconnus que Louise avait notés avec une application d'enfant solitaire. Le capitaine a retrouvé des voisins du temps où Louise vivait dans la maison de Bobigny. Elle a posé des questions aux nounous du square. Personne ne semblait la cerner. « C'était bonjour, bonsoir, rien de plus. » Rien à signaler.

Et puis, elle a regardé dormir la prévenue sur son lit blanc. Elle a demandé à l'infirmière de sortir de la chambre. Elle voulait être seule avec la poupée vieillissante. La poupée endormie, portant sur le cou et les mains, en guise de bijoux, d'épais pansements blancs. Sous la lumière des néons, le capitaine fixait les paupières blêmes, les racines grises sur les tempes et la faible pulsation d'une veine qui battait sous le lobe de l'oreille. Elle tentait de lire quelque chose sur ce visage effondré, sur cette peau sèche où les rides avaient creusé des rigoles. Le capitaine n'a pas touché le corps immobile mais elle s'est assise et elle a parlé à Louise comme on parle aux enfants qui font semblant de dormir. Elle lui a dit : « Je sais que tu m'entends. »

Nina Dorval en a fait l'expérience : les reconstitutions agissent parfois comme un révélateur, comme ces cérémonies vaudoues où la transe fait jaillir une vérité dans la douleur, où le passé s'éclaire d'une lumière nouvelle. Une fois sur scène, il arrive que la magie opère, qu'un détail apparaisse, qu'une contradiction prenne enfin sens. Demain, elle entrera dans l'immeuble de la rue d'Hauteville devant lequel fanent encore quelques bouquets de fleurs et des dessins d'enfants. Elle contournera les bougies et prendra l'ascenseur. L'appartement, où rien n'a changé depuis ce jour de mai, où personne n'est venu chercher des affaires ou même récupérer des papiers, sera la scène de ce théâtre sordide. Nina Dorval frappera les trois coups.

Là, elle se laissera engloutir dans une vague de dégoût, dans la détestation de tout, cet appartement, cette machine à laver, cet évier toujours sale, ces jouets qui s'échappent de leurs boîtes et qui viennent mourir sous les tables, l'épée pointée vers le ciel, l'oreille pendante. Elle sera Louise, Louise qui enfonce ses doigts dans ses oreilles pour faire cesser les cris et les pleurs. Louise qui fait l'aller-retour de la chambre à la cuisine, de la salle de bains à la cuisine, de la poubelle au sèche-linge, du lit au placard de l'entrée, du balcon à la salle de bains. Louise qui revient et puis qui recommence, Louise qui se baisse et se met sur la pointe des pieds. Louise qui saisit un couteau dans un placard. Louise qui boit un verre de vin, la fenêtre ouverte, un pied sur le petit balcon.

« Les enfants, venez. Vous allez prendre un bain. »

Composition PCA/CMB Graphic
Achevé d'imprimer
par Normandie Roto Impression s.a.s.
61250 Lonrai, le 07 mars 2017
Dépôt légal : mars 2017
Premier dépôt légal : mai 2016
Numéro d'imprimeur : 1701021
ISBN 978-2-07-019667-8
Imprimé en France

320758